転換期の科学

「パッケージ」から「バラ売り」へ

佐藤文隆
SATO Humitaka

青土社

転換期の科学　目次

転換期の科学　「パッケージ」から「バラ売り」へ

はじめに

基礎科学の研究が次々と新技術を生み出して社会変動の起因となっている。近年、その影響は世界の隅々にまで及んで世界を席巻している観があるが、その中で西洋近代が推進した人権・民主主義・資本主義といった価値観と科学技術の分離が起こっているのではないかという予感がしてきた。この予感は前著の『「メカニクス」の科学論』執筆で西洋中世にとっても科学は外来の異物であったことに気づいたことに起因するが、それと同時に、現在進行形の世界の状況に想像をめぐらすことによって齎されたものである。米国のトランプ政権（二〇一五―一八年）の反知性主義的振る舞いとか、中国やアジア・アラブ諸国での旺盛な科学の移入とか、などである。

非西洋国家ではいち早く西洋文明を移入した明治日本においては、西洋近代の政治制度や資本主義と一つにパッケージされたものとして科学や技術を移入した。科学技術だけを分離して移入することは不可能な一つにパッケージされたものと思い込み、伝統社会の改造も強引に推し進めた。しかし西洋近代の威力の発露である帝国主義的覇権に遅ればせながらあやかろうとして世界の中で行き詰まった。この昭和反動期において、「日本への回帰」のイデオロギーが一定の盛り上がりをみせた。気鋭の詩人萩原朔太郎の「日本への回帰」（一九三八年）の一節は心に沁みるものがある。

「かつて「西洋の図」を心に描き、海の向こうに蜃気楼のユートピアを夢見て居た時、僕等の胸は希望に充ち、青春の熱意に満ち溢れて居た。だがその蜃気楼が幻滅した今、僕等の住むべき真の家郷は、世界の隅々を探して回って、結局やはり祖国の日本より外にはない。しかもその家郷には幻滅した西洋の図が、その拙劣な模写の形で、汽車を走らし、電車を走らし、至る所に俗悪なるビルデイイングを建立して居るのである。僕らは一切のものを喪失した」。

しかし第二次世界大戦の手痛い惨劇の中で、こうしたイデオロギーは忽然と姿を消した。そして大戦の愚行への一億総懺悔の反動もあり、科学も一体となった西洋近代が改めて眩しく輝く実感を基点に、大戦後の日本は再生のスタートをきった。筆者はこうして始まった二〇世紀後半の日本の科学界を生きた世代の一人であり、そこでは科学と民主主義は接近して感じられたものである。科学技術の原子の世界への展開による産業構造の転換をリードすることで、日本は一九八〇年代に空前の経済的繁栄を享受した。それは同時に民主主義の意識の高揚で自律的に行動する多くの国民の積極的意欲の賜物であったともいえる。科学を西洋近代とパッケージされたものとしての移入したことの威力を再確認したともいえる。

ところが、現在、この活気は時差をもって訪れるノーベル賞での顕彰の祝祭や大量の高齢者の麗しい記憶としてあるものの、日本は「失われた三〇年」の現実で停滞している。世界の中での経済力や科学研究力を評価するさまざまな日本の指数が下げ止まらない。世界の中でのこの手詰まり感は一九三〇年代の中国侵略の手詰まり感とも通じ、人々に「日本への回帰」を誘うものであるかもしれない。

今では「民主主義と科学はもともと別物だよ」という声が聞かれるのは承知しているが、二〇世紀末までは西洋近代の展開が科学の進展と連動しているという見方は広く流布しており、決して奇異なものではなかった。七夕まつりの彦星と乙姫星の距離は大きく離れていて物理的には無関係の存在だが、ある季節に同じ方向に重なるので関連させる物語が生まれた。移ろいゆく車窓のように、流れる時代から見える景色が変わるのは当然であろう。「もともと別物」のものが、世界の文明を主導した西洋近代という時代に、たまたま重なって同じ方向に見えたのかもしれない。

こんな大問題が気になり出したのは事実だが、本書がこれを理論的に論じたものではない。これをみるには二一世紀に入ってから科学の導入が本格化しているアジアやアラブの国々で、伝統文化や宗教との絡みがどういう社会状況を生み出しているかを知る必要がある。もう科学は西洋近代と抱き合せのパッケージされたものではなく、パッケージは解体されてバラ売りのものとして受け入れられているのであろうか？　中国、インド、韓国などの研究力の国際比較指数などは科学専門誌によく報道されるが、あくまでも科学の普遍主義的視点のものであり、各地域での伝統文化・学問や宗教の側から科学を見た情報に接する機会がない。そこで本書での話題も日本と科学先進国に限られてくるのだが、それもこの転換期の科学の現在を描くというよりも、科学の背景をなす政治、学問、教育、人物像との関係での過去の事例を描いた文章が大半になっている。

本書に掲載したバラバラな文章とこの「はしがき」で述べた問題意識とをつなぐ意味で一三個の文章を「I 科学と政治」、「II 科学と学問」、「III 科学と国民教育」、そして科学者論としての「IV 湯川秀樹の時代」の四つのカテゴリーに分け、各々の初めに文章を補ったので参考にして頂きたい。

I　科学と政治

二〇一六年のトランプ米大統領の登場は産業構造の変動による深刻な社会的分断を顕在化させ、彼はあからさまな科学軽視の発言を繰り返して分断を煽った。第１章はこの突然の事態に知的エスタブリッシュであると自認していた米科学界に戦慄が走り、四年後の大統領選挙にはバイデン支持の異例の対応をした。二〇二〇年の日本では、菅内閣による日本学術会議会員の任命拒否問題が勃発した。一九六〇年代までの「戦う学術会議」時代ならまだしも、今どき何事かと耳を疑ったが、その後の経緯は学術会議と国民の関係の薄さを認識させた。第２章は抗議の文章であると同時に自分の学術会議体験の自戒の書でもある。「任命拒否問題」とは関係ないが、第３章には自分の学術会議体験で気になっている二つの話題を記した。二つは独立したもので、一つは新学術会議に期待する国際的役割であり、二つ目は「カミオカンデ」と「すばる」の物語である。

第１章

トランプ政治が抉り出したもの

——西洋科学の現在

「科学と政治は切り離せない」

昨年、ブラジルのボルソナロ大統領は、彼の任期中にアマゾンの森林破壊を警告する報告書を提出した国立宇宙空間研究所のトップを更迭した。同じ年、インドでは一〇〇名を超す経済学者が、インドのモディ首相に、インドの公式統計、特に経済関連統計への政治的改竄に関して、政治的影響力の行使を止めることを求めた。

つい先週、日本の菅新首相は、かつて政府の科学政策に批判的な六名の科学者を日本学術会議の候補者から外した。日本学術会議は日本の科学者の声を代表する独立組織だ。二〇〇四年に首相の「任命」が開始されてから初めての事態である[*1]。

アメリカ大統領選終盤の二〇二〇年一〇月、国際的な科学論文雑誌 *Nature* は「科学と政治は切り離せない」と題した社説を公表した[*1]。*Nature* はこれまでも「科学と政治」に関するニュース、解説及び一次調査を公表してきたが、これからはより深くこの活動を強めるという今後の方針を述べるとともに、この号に二つの記事を掲載している。[*2][*3] 先に引用したものと、もう一つはトランプ政権でなされた科学政策を批判してバイデン候補支持を明確にした記事である。世界を見渡すと、学問の自由・科学の自律を揺るがす事態が起きているとして、冒頭に引用したニュースが掲載されている。日本の菅政権はブラジルやインドの強権政権並みに学問の自由と科学の自律を危うくする札付きの政権であることを国際科学界は驚きをもって認識したのである。

米科学界と大統領選挙

大統領選挙に向けた *Nature* のこの社説に続いて、*Nature* と双璧をなす米国の科学論文雑誌 *Science* もその翌週号で大統領選挙にむけた反トランプの論説を載せて立場を鮮明にした。[*4] トランプ政権下で行われた科学組織への無謀な介入の事例を詳細に列挙して批判もした。[*5] また一七五年

＊1　Editorial H. Holden Thorp "Why *Nature* needs to cover politics now more than ever", *Nature*, October 6, 2020.
＊2　Amy Maxmen et al. "What a Biden Presidency would mean for five key science issues", *Nature*, October 6, 2020.
＊3　Jeff Tollefson "How Trump damaged science-and why it could take decades to recover", *Nature*, October 6, 2020.
＊4　Editorial "Not throwing away our shot", Science, October 16, 2020.
＊5　トランプ大統領の科学への攻撃を九項目指摘している。ワシントン州にあった国立食物農業研究所をミズーリ州に移転させ、七五％の職員が農業省をやめたこと、二〇一九年夏のハリケーンの進路予想をめぐり、米国気象庁によるフロリダ州に向かう進路予想をトランプが地図に自分のペンで勝手に加筆してアラバマ州が危ないとテレビで発表し、後にそれを訂正した気象庁の職員を大統領が戒告処分にしろと要求したこと、気候変動の警告を冷笑している二人の上級職員を気象庁に送り込んだこと、などである。

の歴史を持ち、アメリカの家庭によく普及している一般科学雑誌*Scientific American*は前月の九月一日に大統領選挙でのバイデン候補支持を表明していた。[*6] また米国科学アカデミーと米国医学アカデミーもトランプ政権が科学的な証拠や勧告を無視していると批判していた。

こうした科学関係のエスタブリッシュ組織が大統領選挙を前に一方の候補者の支持や批判を明確にすることはかつてなかった。前代未聞の事態である。米国では大統領が変われば科学関係の顧問など上級の行政官も入れ替わるから、現政権とうまく付き合わねばならない大学や科学のエスタブリッシュ組織は大統領選挙での候補者にまで口を出すことは避けてきた。その意味では、伯仲していて選挙結果が見通せない中で態度を明確にしたのは、堪忍袋の緒が切れて、余程の覚悟をもった背水の陣の決断であったといえよう。その背景には微温的に維持されていた学問や科学に対する世間の信頼が、トランプ政権の振る舞いによって、つぎつぎに崩されていく危機を関係者が深刻に実感したからであろう。ポリティカル・コレクトネスとして自明視されていた科学への信頼が社会で揺らぎ出すことの危機を科学のエスタブリッシュ組織は感じたのである。

科学のための行進

科学界からの反発はトランプ政権登場時にまずMarch for Science（科学のための行進）という研究者層の草の根運動から始まった。二〇一七年四月二二日の土曜日にワシントンD. C. やニューヨーク市、さらに六〇〇ヶ所におよぶ内外の多くの大学街において、科学者が街頭に出てトランプ大統領の科学を軽視する言動に抗議の声をあげたのである。このデモ行進の発祥はSNS上で一〇〇万にもおよぶツイートへと加熱し、中央指導部のない、いま風の自発的、散発的なものであった。[*7] しかし翌年からはAAAS[*8]などとの連携もなされた。

個々の科学者や研究者の経済生活の実情を別にして、現代社会では科学界というのは、その仕事に就く者が高い学歴や高度の専門性をもつことによって、高い社会的ステータスをもつエスタブリッシュな業界とみなされている。このポリティカル・コレクトネスの常識をあからさまに踏み躙って見せることで選挙への支持が広がるとトランプ陣営は見越しているのである。エスタブリッシュ科学界にしてみれば不意打ちを喰ったようなものだった。

エスタブリッシュ業界の人間はなぜ科学界がエスタブリッシュなのかを日頃は深くは考えないで生活している。社会公認の科学界を前提に、その内部の規範的なエートスに合わせて日々まじ

＊6　The Editors "Scientific American endorses Joe Biden", *Scientific American*, October, 2020.
＊7　ワシントンD.C.での週末デモは頻繁にあるが、トランプの大統領就任に合わせた二〇一七年一月にトランプの女性蔑視に抗議するデモが行われた。この活動家が発端になって例年四月に行われている環境問題のデモ "Earth Day" を科学へのトランプの言動に抗議する行動日に組み替えたようだ。これが一つの核になったようである。
＊8　アメリカ科学振興協会AAASは科学者が少数であった一九世紀に創設された団体だが現在の会員は（団体加盟も入れて）一〇〇〇万をこえる、エスタブリッシュ組織の一つである。雑誌 *Science* の発行母体でもある。

めに仕事をしている。ところがここにきてより大きな権威の大統領がこの現代社会で自明と目されていることを攻撃したのである。

日頃意識しなかった「なぜ科学？」という根本問題がふいに個々の科学者に突きつけられたかたちである。この不意打ちへの反応はいまどきの科学という制度の中で働く多様な人々の意識の表出にもなっている。こういう興味を持ってMarch for Scienceの多くのネット上の写真からプラカードに書かれたメッセージを蒐集してみた。もちろんランダムなものであり、統計的客観性はないものだが、蒐集したメッセージを粗く分類して以下に列記してみる。[*9]

「行進」プラカードのメッセージ

まず大別すると科学を積極的に打ち出すものAとトランプの攻撃に受動的に反撃するものBに分けられる。

Aとしては「科学、万歳（Hooray Science）」というあけすけなものから始まって「もし科学がなかったなら、我々は何も知らないであろう（If it were not for science, we would not know anything）」「科学に続こう（Follow the science）」「公共の善に奉仕する科学（Science serving the common Good）」「みんなの為の科学（Science for everyone）」「科学は文明に貢献する（Science serves civilization）」「科学は無知に打ち勝つ（trump）（Science Trumps Ignorance）」「科学は決断を改善し、科学は真実を明らかにする（Science improves decision. Science revealed reality)」「科学は力になる真実を語っている（Science speaking truth to power)」「科学なしには我々はわずかな安楽しか持っていなかっただろう（We had have very little comforts without science)」「我々はいつそれを欲したか？ 約三〇〇年前だ（When do we want it? About 300 years ago)」。確かに「科学は大事だ」という根拠を毎日考えているわけでないから、ふいに「なぜ科学なの？」と問われた時に浮かぶような応答が並んでいる。

トランプ発言への反撃

次のBはトランプ発言への反撃である。「それは単なる嘘であって、オルタナティブ・ファクトではない（It is lies, not alternative facts)」「愚かさに効くワクチンはないが、科学は〝（愚かさに感染しない）ワクチン〟の上で働いている（There is no vaccine for stupid, but science are working on it)」「科学がテストするのはオルタナティブな仮説であって、オルタナティブなファクトではない（Science tests alternative hypotheses not alternative facts)」「科学的事実を信じよ、オルタナティブ・ファクトを信じるな（Trust scientific facts, Not alternative facts)」「科学はリビアの陰謀ではない（Science is not Libyan Conspiracy)」。科学における知識の性格を説明するものもある。「我々が望むのは理性的な思考だ（What does we

＊9　手書きプラカードの英語表記は省スペースのため略記が多いがここでは通常の文章形に戻してある。大文字にして意味を持たせる手法は残した。

want? Rational thought)」「科学→ピアレビュー→新知識（Science → peer review → new knowledge)」「我々は何が欲しいか？　エビデンスに基礎をおく科学だ。いつ欲しいか？　ピアレビューの後だ（What do you want? Evidence based science. When do we need it? After peer review)」

アメリカ政治での科学の訴え

アメリカ政治社会での科学の役割のよびかけもある。「アメリカにもう一度考えさせよう（Make America think again)」「研究は命を救う。それを変えて打ち切りにするな（Research saves lives. Do not short change it)」「教育はアメリカを再び偉大にする（Education makes America great again)」「科学に挑戦しよう、科学に投資しよう、科学を使おう（Defiance for Science, Fund Science, Use Science)」「知識と科学の進歩を追究する人々の側に立とう（Stand by people who pursue knowledge and science progress)」「科学に少し足を踏み入れてみよう（Let us now paws for a moment of science)」。アインシュタインに「科学予算カットは私を相当怒らせる（Science cuts make me Relatively angry)」と語らせている漫画もある。

行動する科学

次の発言は科学者が街頭行動にでた気持ちの表明である。「科学は沈黙してない（Science not

Silence)」「我々のことで我々を救えるのは我々だけである（Only we can save us from ourselves）」「科学のための行進をしなければならないなど信じられないことだ（I can not believe we have to march for Science）」「私は行進に動員されたのではない、自分自身が憂慮しているから来たのだ（I was not paid to march. I am concerned）」。「惑星Bはないのだ（There is not Planet B）」「私は木になり代って公言している（I speak for trees）」「気候変動はリアルだ　科学が答えだ（Climate change is real. Science is the answer）」といった環境問題のものは全体の三割ぐらいあるがここでは主題でないのでスキップした。

トランプ政権四年間の科学技術政策

トランプ大統領の気候変動をめぐる発言やパリ協定からの離脱は石炭石油業界の票をあてにした選挙目当ての従来型の利益誘導である。オバマ前政権との差を印象付けるための医療衛生関係の予算への口出しなどを派手にやったり、ビザの制限を厳しくして留学生を多数抱えることで成り立っている大学の運営を困難にしたり、また米中対立激化のあおりで情報通信業界に激震がはしったり、といった選挙目当ての政策で軋みがおこった[*10]。しかし四年間の施策実績でみればその他のハイテク、宇宙、軍事、医療などの科学関係の政策に大きな変化があったわけではない。

＊10　春日匠「トランプ政権下アメリカの科学・技術と科学者」『科学（岩波書店）』二〇一七年五月号。

ただ環境問題への政権の拘りから出てきた危険な実績稼ぎもある。行政府の委員資格の利益相反条項に関することである。例えば「環境問題解決」を謳う研究費の受領者は政府の環境問題対策の委員にはなれないなどである。科学を一つの利益集団とみなし、科学的知見と社会的な利益の衝突を調停する地位を科学から奪う兆候といえる。

米国の科学技術政策と政治

もともと米国では共和党が科学政策に熱心であり、予算を決める議員でも科学関係のベテランは共和党に揃っている。特に重厚長大時代の宇宙や素粒子などの基礎科学の守護神は共和党であった。民主党は民政に重点をおくから、冷戦期の文化戦争のライバルがいなくなると、民政に直結しない科学には厳しくでる傾向があった。レーガンとブッシュの後に登場したクリントン政権は「SSCか？　健康保険か？」と問いかけた。一九九二年のSSC中止事件は一つの時代の終焉であった。[*11] シリコンバレーのクローズアップなどの情報化や基礎研究の知見を医療につなぐ革命を主導したのはクリントン時代の民主党であった。ブッシュJr政権時代には文系学問への研究補助を疑問視する問題が発生したりしたが、現在では文系もとりこんだイノベーション政策に変貌してとくに党派性はないといえる。二大政党が科学業界全体を貶めるような態度をとることはかつてなかった。

新大統領発足時の注目人事の一つである大統領府の科学技術政策室OSTPのヘッドである大統領補佐官が発令されたのは、トランプ政権では、任期半ばの二年後であり、オバマ政権時には一三五人ものスタッフを抱えていたが、トランプ政権では一時三〇人にまで落ち込んだこともあった。環境政策では具体的に拘っていたが、そのほかについては何かを実現したいという一貫した政策があったというよりは不熱心であったということだろう。

コロナ蔓延で科学軽視の被害

トランプ大統領の科学軽視が環境問題だけなら、その影響は即時に現れるわけではなかった。フロリダの大暴風もカリフォルニアの山火事も原因の話になると論争的になる。ところがそこに未曾有の「コロナ禍」が世界を覆った。初期の対応でトランプは明らかに専門家の科学的方針を無視した。誰が指導者でも大変な事態だったが、科学を冷笑する大統領の被害を国民はもろに被った。具体的な感染症対策は州の権限だが一部の共和党知事にもトランプ流がおり混乱を拡大した。またトランプの支持者の行動にも大きな影響を与えた。

自然現象に関連した科学の知識やそれにもとづく対処法が政治的に気に入らないとして無視し

*11 佐藤文隆『科学と幸福』岩波現代文庫、二〇〇〇年。

てみても、現実を曲げることができないので、逆に政治的意図が裏切られることになる。それはその政治政策の下におかれる国民にとっては政治的災害である。政治からの科学の独立は政治家があやまった政策を行わないためのものである。

科学先進国での反科学

世界の超大国、しかも学問でも科学でも技術でも最強国のアメリカにおいて学問や科学や大学を敵に回すトランプ政治が登場した事実は、かつてやはり学問、科学、技術、医療で世界最高の実績を築いたドイツにおいてナチス政権が登場した史実とパラレルに論じられるべきかもしれない。トランプ政権はかろうじて平和裡に四年で表向きは退場したが、選挙結果の伯仲さにトランプ政治がもたらした分断の深刻さは残っている。学問や科学の言説を嘲る指導者の言説を「俺もそう思っていたが、言い出せなかった」と受け取る層が広がっている現実がある。菅政権の学術会議会員任命拒否をはじめ冒頭のような学問や科学の集団への攻撃を政権の快挙として受け取る層が広がっている現実もある。そしてこの傾向はいずれも科学技術重視を掲げる国での話である。

トランプ政治には何か独特な理念があるわけでなく、むしろ選挙での支持層の声の雑居体といえる。バラバラな声の整合性など気にせず律儀に「公約」を実行する政治スタイルである。論理的な整合など気にしないスタイルは彼の支持母体の中にある科学軽視とも通底する。特に深刻なのは科学を一つの党派的集団と見做す見解の蔓延である。かつて公衆は「なじめない」でも権威主義のもとで科学の言説に深く関わらずにきた。ところがトランプのような指導者が嘲笑しはじめると「ああ、やっぱりなじめないものなのだ」と反科学に覚醒するのである。トランプ政治は、政治指導者の扇動で火をつけることで、科学と公衆の間の共感の欠如を可視化したのである。その意味では問題は科学とトランプの間にあったというより、科学と分断化された社会との間にあるのである。

高学歴エリートへの反発か

こうなった諸々の要因のなかに、産業構造の急激な転換、情報化社会への急激な変貌、グローバル化などの急激な変化があると指摘されている。誰でも急激な変化に馴致させられるのは大変である。その中で比較的スマートに時代の波を乗りこなすのは高学歴のエリート層であり、遅れ気味になる層との間に意識の上で亀裂が生じ、そこから先は自己正当化に走って怨念を混入させイデオロギー化する。この怨念をトランプ政治は煽って掻き立てたといえる。日々の生活から遊離した学問や科学からのメッセージはエリートから「お前、こんなことも分からないのか」と見下された屈辱的な場面を想起させる。どんな生業でも「おれも社会に必須な役割を果たしている」と世間からの承認を実感できるなら、高学歴エリートからのメッセージも社会でのフラットな役割分担と思えただろうが、労働形態の変容で多くの仕事から自己肯定感が得られなくなってくると、「だれがわざわざ、情緒の温かみ、堅固な人格、実践能力、民主的感情を犠牲にする危険を冒してまで、せいぜい単に利口なだけ、最悪の場合は危険ですらあるタイプの人間に敬意を払うだろうか[*12]」。

「あっち」か「こっち」か

トランプ政治は選挙支持層へのバラバラな公約実行の混在であり、整合性を持たせようとした従来の大政党の手法と異なっている。これは学問や科学の知識や理念も一つの党派的態度に過ぎないという考え方につながる。理性重視の学問的な真理に対するリスペクトを放擲する態度であり、ある意味で西洋近代の放棄である。そこでは「正しい」とか「間違っている」とかの判断はなく、「あっち」か「こっち」の分断の判断となる。学問や科学を尊重して合意を得るなどという主張はある一部の党派的集団の主張と見做すのである。

西洋科学の勃興が近代啓蒙主義にルーツをもった記憶は薄れつつある。発祥の歴史を度外視して現状をみれば、一九世紀後半からの民生の向上の成果はあるが、二〇世紀には戦争悲惨の増大と環境破壊があり、功罪半ばしており、科学は単純に人類にとって善ではない。そうなると課題毎に各々の価値観で「あっち」か「こっち」が選択される、すなわち様々な商品が様々な会社から販売されて消費者が選択するように、科学という商品も消費者の選択肢の一つとして並べられているだけだという見方になる。

近代啓蒙主義パッケージの分解

選挙をまえに米国科学のエスタブリッシュメントがトランプ批判に踏み切ったのはこの危機感であろう。また March for Science に立ち上がった科学界を担う人々のプラカードの「なぜ科学か?」を訴えるメッセージAは、それこそ近代啓蒙主義の時代に遡っての科学の出発点の確認なのだ。自明とされてきた前提が二〇〇〇年もすると社会の隅々で綻びだしているのである。

学問は自然的、歴史的、政治的な経験や現実を根拠として理性的な分析や論理的な構成を行う営みである。二〇世紀はこうした学問のなかで科学業界が異常に拡大して、そのプロダクトは人々の物質的身体的環境を大幅に改善するとともに、着地点が未定のまま伝統的価値観から人々を解き放って、精神の無政府的環境に放り出した。この激変は生産、労働、食料、衛生、医療、子弟教育やさまざま文化活動などでの改善であったが、それをもたらした近代啓蒙主義にパッケージされていた理性・合理・分析・合成・数学・実証・実験・体系・自由・平等・民主などな

*12 リチャード・ホーフスタッター『アメリカの反知性主義』田村哲夫訳、みすず書房。

どの諸理念は一旦バラバラに分解され、異なった歴史経験をもつ国家や地域や社会集団や個人のなかでバラバラな要素から選択して新たなパッケージに束ね直されつつある。宗教や学問の世界の西洋的歴史経緯の中で形成された近代啓蒙主義のパッケージが普遍的なものと見えた時代は終焉していたのだ。科学の経年変化と異なった歴史的経緯をもつ非西洋地域でのパッケージのされ方は多様である。パッケージは解体されてバラ売り的に都合の良いものだけを拾っていく状況が生まれている。私の前著『「メカニクス」の科学論[*13]』でも述べたが、バラ売りの中で「メカニクス」は必ず選択される要素であるとかいうように、近代科学のパッケージはすでに分解されているのである。

情報新ツールと政治のかたち

トランプ政権で蔓延した新たな政治手法にＳＮＳがある。科学の成果を近代の科学精神を破壊するのに使っているわけだ。さすが大国だけあって、それは瞬く間に世界に拡散した。この変貌は公衆へのスマホなどの普及が可能にしたものであり、トランプ陣営がこれをいち早く捉えたのには感服させられる。ネットワークの高速化はさらにメッセージのテキストから動画への移行を可能にした。これが大手新聞とテレビという従来のマスメディアから主役の地位を奪った。ネットワークという公共インフラの整備で実現したこの低コストのマスメディアの威力の先行きはまだよく見えていない。

情報ツールの変動が社会にもたらす影響は絶大である。グーテンベルクの印刷術が感染症の魔女狩りにつながったという話もある。テキストからラジオやニュース映画に変わった時代とナチスの急激な拡大が重なる。今後ＳＮＳも動画の時代になると何が起こるのか？　ここにも近代科学パッケージのバラ売りの様相をみるのであり「科学と民主主義」の新たな問題群の登場である。

「リベラル」と科学的真理

理論的に純粋なリベラリズムを想定すれば、まずバラバラな自律的な個人を要素として考え、それらが趣味や価値観で散発的に離合集散するシステムが想定されるが、現実のシステムはこの理論モデルと大きく異なっている。理論上は全員がオーナーである国民国家というシステムは現代の医療や科学技術のインフラで営まれ、子弟の教育でも科学は正当な知識として教えられ、その運営は代議制的に一部の人間に委託されている。西洋起源の学問や科学が当然の公共財としてプレインストールされているのが従来型近代社会である。個々人が考慮して選択したという意識が不在のお仕着せの枠であったと言える。この従来型の正当性を揺るがしたのがトランプ政治で

＊13　佐藤文隆『「メカニクス」の科学論』青土社、二〇二〇年。

あった。あたかもブレインストールのシムで保たれていた携帯電話業界の秩序がシム・フリーで崩壊するような事態である。

トランプ政治が抉り出したのは、二〇〇年前にブレインストールされていた秩序のシステムとそこで拡大した「リベラル」の意識の齟齬であるともいえる。秩序の原理を宗教的真実から科学の真理にバトンタッチしたかに見えた西洋近代の経年劣化と異文化圏での齟齬が見えはじめたのだといえるかもしれない。

第2章

学術会議の居場所とは

――会員任命拒否事件の波紋

桑原武夫の回想

「長官室に入ると時の徳丸実蔵総務長官は、立ち上がって、法理論的に、何をやったか知らんけど、けしからんというわけだね。学術会議は学術の機関で、これは政治問題だ。それなのに国策に容喙し、それを国民に向かって、たしか扇動している、という言葉を使ったと思うな。それはけしからんと激越な調子で言いました。一気にしゃべり終わってどう考えられますかってわけですよ。そこでまた感心したことは、その時、朝永君はタバコをだして、それに火をつけたわけですよ。タバコというのは、ゆっくり吸いますと、だいたい一本三分半かかるんですねえ。彼は悠々とタバコを吸っている。向こうは威丈高になっていましたが、座りました。じっさい、感心しましたね。そしてそれを吸いながら、局長、学術会議法規集をといい、それをもってこさせて見ているんです。

――これは僕の推察ですが、人間の怒りいうものは生理学的に五分以上つづかないもんです。で彼はゆっくり聞いていてね、口をはさまずに相手にしゃべらしておいて、そして途中からタバコを取り出して火をつけ吸い出し、吸い終わるまで答えない。そして書類を見たりしている。それからおもむろに、これは何も反政府行動ではない、つまり学問的、科学的調査が終えるまで慎重にして欲しいということで、入れてはいかんとか、そういうことを言っているんではないのだということを言いました。ただ声明のなかで「国民のまえに…」という言葉を使ったことは、それは言葉としてはまずかった、それは遺憾なことでした、と言った」[*1]

原子力潜水艦寄港への学術会議声明

これは桑原武夫が朝永振一郎の追悼文集[*1]に寄せた文章（談）の一節である。朝永は日本学術会議（ＳＣＪ）の第六期会長であり桑原は吉田富三とともに副会長の一人であった。時は就任してまもない一九六三年四月である。年頭にライシャワー米大使が大平外相に原子力潜水艦の日本寄港を申し入れ、国会の参考人招致で物理学者の服部学は原潜が原子力の安全性を無視した危険なものだと証言し、野党の追及が国会ではじまった。ベトナムへの米軍の介入も増し、基地を抱える日本が戦争に巻き込まれる杞憂よりは、当初は原子力の安全性の問題として反対の世論が高揚した。

＊1　桑原武夫「朝永さんのこと――学術会議時代を中心にした」松井巻之助編『回想の朝永振一郎』みすず書房、一九八〇年、三一四頁。

ＳＣＪは原子力の登場に際して平和利用三原則と核兵器の禁止の大原則を提起することで指導性を発揮した経緯があり、ＳＣＪも意見を表明すべしという突き上げが科学者層からおこった。桑原によると「穏便に進めるようにご配慮願います」と政府からいってきたという。しかし傍聴可能なＳＣＪの総会ではラディカルな意見が優勢となり、執行部の思惑は外れて寄港反対の声明がだされた。[*2][*3]「終わると、もう5分もしないうちに政府から電話がかかってくるんです。会長と副会長は大至急総理府にまで来てもらいたいというわけですよ」。そこで事務局長をいれた四人で総理府にむかった先での場面が冒頭の情景である。長官は興奮気味で「学術会議の内部が左翼勢力に占拠されているとか、共産党籍の学者が何人おり、当方では全部、調査ができているとか言いましたね。政府っていうものは恐いもんですね」[*1]。

菅首相の「任命拒否」突発

二〇二〇年一〇月に突発した「新会員六名の任命拒否」で生じた現代のＳＣＪ論議の中にあっては、半世紀以上前のこのＳＣＪと政府の衝突の場面は、どこかモノクロ映画の場面をみているようである。菅前政権が「拒否」理由をいっさい語らないのにくらべて、アナログな時代への郷愁をくすぐる光景である。

政府から独立した機関であるから首相の任命行為は形式的なものであるという長年の慣行を菅

政権は覆した。立憲民主党や共産党は「学問の自由」の侵害として追及するも、個別の人事案件には答えないとの一点ばりで政府は乗りきる算段のようだ。大学の自治や言論の自由の侵害が太平洋戦争へのみちとなった昭和一〇年代の歴史を振り返るならば「任命拒否」は看過できない暴挙である。学術界への政治介入の危険性は世界史的にも広く認識されている。「学問の自由は、これを保障する」と憲法第二三条に明記されているのだから国会の場で究明されるべき重要課題である。

＊2　原子力潜水艦の日本の港湾寄港問題についての声明（一九六三年四月二六日）
「日本学術会議は、原子力が日本国民の幸福と世界の平和にのみ役立つことを祈願し、わが国における原子力開発の発足に際し、平和利用三原則の確立と原水爆の禁止を訴え、それ以来、この線に沿っての努力を重ねてきた。

目下アメリカ政府はわが国に原子力潜水艦の寄港を申し入れている。われわれは上記の立場から、すでにこの件につき政府に対し、わが国の責任ある機関が自主的にその安全性を審議し、その結論を国民のまえに明らかにするよう勧告した。

この勧告にのべた条件がいまだ満たされていない現状では日本国民の安全がおびやかされるおそれがあるので、われわれは、原子力潜水艦の日本寄港はのぞましくないと考える」（文中の「勧告」［一九六三年三月一一日］とは運営審議会の議として地上の原子炉設置と同じ安全性の審査を行うべしという総理大臣宛のものである）。

＊3　当時の雰囲気を知るためこの第三六回総会での他の決議を見ると「南極地域観測統合推進本部総会あて（申し入れ）」と「国立大学教官の待遇改善についての声明」の二本である。極地研創設（一九七三年）前では「南極」はSCJの事業であった。「待遇」の方は政府が旧七帝大の学長のみを認証官としたのに対して国立大の間に格差を設けるべきでないと主張した。

馴染みのない世界

しかし大方の国民にとってこれが重大な政治問題だと理解するのはむずかしい。ハイテクや医療の話題で学術や科学技術の世界に関心がないわけではないが、そのこととSCJがどう関係しており、なぜ「政府から独立な機関」でなければならないのかは見えない。ましてコロナ禍の最中、大方の国民はそんな課題を考える余裕がないし、追及する野党もそうした国民の状況を気にせざるをえない。もっとも官邸に知恵者がいて「だからいまが好機」と仕掛けたのかもしれないが。

大方の国民にとっては初めての話題のうえに事実経過は闇の中であり、案の定、世論調査の反応も割れている。ハンコ廃止のような新首相の改革魂の発露のようにも受けとれるからだろう。歴代政権がこの任命の慣行を維持してきた背後には膨大な中身が詰まっている。ただその故にその意義が長く語られなかったのも事実である。それをいいことに何の説明もなく覆すのは公の私物化として糾弾されるべきである。

一般国民の生活や権利の意識レベルに訴えて「中身」にも理解を得ることは、政治家だけでなく、学術世界の当事者にも問われている。ＳＣＪの登録学協会や文化団体が「説明と撤回」を政府に求める声明を一斉にあげたが、こうした動きが「票」を気にする政権にどう影響したのであろう。かつてはこの種のことは官僚や政治家につながった学界大物の手腕や権威で処理されてきた面がある。本章冒頭の場面に登場する朝永もこの頃は文部省顧問であるし、二年後のノーベル賞授賞の褒美にと政府はＳＣＪの新庁舎を建てている。[*4]

「おかしいことは変えよう」という首相の呼びかけが瞬く間に広がるＳＮＳなどの新メディアの中で学会の声明がどう力を発揮したのか見えていない。長年、学術の世界は政治化を忌避しており、そのことで本来必要な政治との対話は背景化されてきたが、世代交代でそれが切れてきた事態が発覚したのかも知れない。学術と世間の中間にある政党や政治家との新しい対話のあり方も新しい課題として浮上する。冒頭に記した「トモナガ歌舞伎」の時代をみてきたものとしてその変化を痛感する。

＊4　当初ＳＣＪは上野の旧帝国学士院の建物を使用していたが、一九七〇年には六本木の乃木坂の新庁舎に移った。

周到な準備か、うっかり事故か

それにしても発足まもない菅政権の異常な行動であった。周到な準備の上なのか、それとも首相交代の慌ただしさの中で生煮えのまま見過ごされた事故なのか？　政治評論家がいうように官房長官として味を占めた人事裁量権への過信かもしれない。安倍政権はＮＨＫ経営委員長、日銀総裁、検察庁長官、法制局長官などで慣行を破壊した人事で諸政策の地ならしをした。「六名拒否」は単純に安保法制で声をあげた学者への意趣返しかもしれない。あるいは新政権の看板が「携帯料金」とかの市井の話題だけで安倍政権の「美しい国」のような文化的彩に欠けるのに気づいて学者世界を頭に浮かべたら長年のうっぷんに火がついてあらぬ方向に走ったのかもしれない。何れにしてもことの重大さを指摘するべき官邸スタッフの劣化も気になる。

「行革」進行中

発覚直後、自民党は「国家公務員になるのだ」、「一〇億円の税金だ」といった行革路線にのせる発言をしだした。多くの国民には行政経費の寡多など見当もつかない。それをいいことに真顔で「一〇億円も！」といいだすのではプロの政治家とも思えない。そのうえ、総合科学技術会議が主導した二〇〇五年の新ＳＣＪへの改組から一〇年目には外部評価の点検があり、その報告書が科学技術担当大臣に提出され、それにそって改革中なのである。言葉が悪いが、すでに軍門にくだって粛々と改革中なのである。この行政プロセスを掻き乱す与党の動きには担当大臣が厳重に注意すべきなのである。

新時代の革命的政治手法か

従来の政治感覚では理解できないが、もしかしたら革新的手法の先取りなのかもしれない。過去の答弁文書や言論弾圧の歴史を語って批判する野党や学界関係者に対して「あなた方は遅れている、二一世紀はＳＮＳなどのメディア世論で政治はうごく」と。確かに生活者の直感的反応の集積したながれとして世論があるようにみえる。「年金支給」、「千人計画」といった荒唐無稽なフェイクが流され、フェイクだとの訂正自体にも実感がないから虚々実々のデジタルタトゥーとしてネット上に漂流する。

「医療費」や「子育て支援」なら実感があるが、ＳＣＪ話題は生活上はそこまで関係があることではない、ＳＮＳや「まとめサイト」やワイドショーでのタレントの発言の混乱の中に放り込めば一件落着である。生活を変えるコロナの超リアルとちがって、「慰安婦」、「南京」、「靖国」、「拉致」にも空疎感が漂う。過去でなく未来はどうなる？　若い世代にはそんな気分もあるだろう。

学術界と世間の対話とは

ともかく「うっかり」でも、「先よみ」でも、権力を弄ぶやり方は政治の場でしっかり追及してほしい。だがここで喚起された主権者と学術界の対話は難問として残る。主権者だと持ち上げられても国民は日々の生活で忙しい。学問の自由が憲法に明記された理由やアカデミーの歴史を勉強しろと言われても当惑ものだ。そういう場合には、これまでもそうであったように、関係者間の合理的な協議で練られた策を期待すべきなのである。なんでも大衆論議にさらすのが民主主義ではない。関係者間の協議だと根本的な転換が不可能だとして大衆動員のポピュリズムの手法が世界的に広まっている。これらは反エリート主義、反知性主義の感情を鼓舞するものであり、学術問題はその網に引っかかりやすいアイテムである。学術界があまりにも身近になると「好きでやっている勉強に税金を使うのはおかしい」といった根本問題を誘発する。

錯綜した戦後の学術体制整備

ＳＣＪは同じ法律の改定だが、二〇〇五年の改定で旧ＳＣＪから新ＳＣＪへと根本的に変わった。七〇年にもおよぶ戦後日本の大変貌を考えれば変化は当然であるが、学術の世界への反映の仕方は錯綜したものであった。

敗戦時の学術組織としては帝国学士院、学術研究会議、日本学術振興会それに戦時下の技術院があった。技術院はすぐ廃止し、残る三組織の自主改組を指向するもＧＨＱ（ケリー）の介入もあり、学術会議（ＳＣＪ）＋科学技術行政協議会（ＳＴＡＣ）の体制が一九四九年に発足した。学士院と学術振興会はこの中に含められた。ＳＣＪは研究者の直接選挙による会員の協議機関であり、ＳＴＡＣはＳＣＪの審議を行政に繋ぐ必要な措置と省庁間の連絡調整を行う組織であった。ＳＣＪとＳＴＡＣの両組織が機能してはじめて整合的な「学者の国会」となる仕組みである。当時、民科などの民主団体の反対を押し切ってＳＣＪは政府機関となった。

ところがサンフランシスコ条約での独立（一九五二年）と同時に文部省はじめ各省庁はＳＣＪなど存在しないものとして、時代の要請に応えるとして戦後の学術や科学技術の行政組織を整備していった。どこか新憲法と似て、「占領下異物としての学術会議[*5]」となったのである。

独立後の学術会議外し

ＧＨＱ支配が終わると、官僚も政治家も直ちに「SCJ＋STAC」の解体に動いた。学士院と学術

＊5　佐藤「占領下異物としての学術会議」『歴史のなかの科学』、青土社、二〇一七年、第六章。

振興会をＳＣＪから外して文部省の下に置いた。ＳＴＡＣは開店休業状態におかれた。その一方、原子力や後の宇宙開発など国家規模での関与が必要な案件が浮上し、経済界からの要求もあり、総理府の外局として科学技術庁が設立され（一九五六年）、ＳＴＡＣはここで正式に姿を消した。加えて一九五九年には、科学技術政策に係る科学技術会議（総理大臣が議長）が設立され、ＳＣＪ会長が議員の一人に組み込まれた。一九六〇年代、電子や石油化学の産業が急拡大し、大学の理工系倍増がすすみ、政府援助の研究費も増加した。こうした状況に対応するため文部省は学術審議会を設置（一九六七年）し、科研費の運用と国際交流を担う日本学術振興会（ＪＳＰＳ）を特殊法人として強化した。また現在の科学技術振興機構（ＪＳＴ）につながる通産省所管の事業団も研究費援助に乗り出した。以後四半世紀以上、経済の好調もあり、この体制は順調に発展した。次の大きな変動は科学技術基本法の制定（一九九五年）、中央省庁の再編、国立大学・研究機関の法人化、などである。科学技術会議が総合科学技術会議に改組され、科学技術担当大臣が新たにうまれ、省庁の縦割りを排した科学技術の行政組織が完成した。

旧ＳＣＪ後半は各分野の合意形成の場

冒頭の桑原が描いた場面のようなＳＣＪを突き上げるエネルギーが研究者集団にあったのはいわゆる大学紛争前、一九六〇年代末までである。[*6] 需要規模が急拡大した科学行政を官僚たちは省益の権限拡大につなく結びつけた。また冒頭場面のように〝かわいくない〟ＳＣＪは与党政治家から疎まれ放置された。それでも理学関係の分野では共同利用研究所の設立や国際連携などの活動でＳＣＪは不可欠の存在になっていた。形式的には学術審議会が最終決定するのであるが、ＳＣＪのしくみで合意形成されたコミュニティの要望を行政が尊重する慣行があったからである。このように、政治的発言での元気さを失った後のＳＣＪは各分野での研究計画などの合意形成の場として重宝がられ拠点形成の実績をあげた。しかし各分野でその整備が一巡すると、研究上の要求は各々の拠点が集約するかたちに変わるから、ＳＣＪへの求心力は失われていった。

科学研究費へのＳＣＪの関与が法律に明記されていたので、当初は公募分野表や選考委員の選定はＳＣＪのルーティンの仕事になっていた。ところが一九六七年の文部省の機構整備に際して、それらをＳＣＪから取り上げる方針が出され、一部の分野では科研費の返上闘争があった。この騒動に巻き込まれた私事は書いたことがある。[*7] 結局、従来通り提出してそれを参考に文部省で最終決定をすることとなり、旧ＳＣＪの終わりまでそれが続いたが、新ＳＣＪでは研究費配分には関わらないことになった。

＊6　ＳＣＪの物研連・核特委を支える研究者団体である素粒子論グループにはＫＪＲという組織があり、核問題の情報などを関係研究室に流していた。私もこれらを社会に広める運動をした（佐藤「反核兵器運動」『ある物理学者の回想――湯川秀樹と長い戦後日本』青土社、二〇一九年、七五頁）。一九七〇年後も公害問題など科学技術に関わる問題が起こるが住民運動が主体であった。

＊7　佐藤「科研費返上騒動」『ある物理学者の回想――湯川秀樹と長い戦後日本』青土社、二〇一九年、七四頁。

会員直接選挙の終焉

旧SCJの一九七〇年以降の衰退は政治家や官僚による無視だけでなく、研究者層にも見放されたことがある。明確な兆候は会員選挙の低調さに現れた。立候補倍率も投票率も危険水域までさがった。[*5] さらに政府の予算の塩漬け政策のために定数の増加ができないから、台頭する新分野のなかには旧SCJに関係を持たないものも現れた。こうして拡大した研究者層のなかでの旧SCJの存在感が減少した。研究者層のなかからの改革のエネルギーはなく、政治家や学界大物の主導によって、一九八五年からは直接選挙を学会推薦に切り替えて、取り繕ったといえる。

会員数二一〇の謎

今度の件で、二一〇名という会員数が有名になったが、なぜ二〇〇でなく二一〇なのかには訳がある。二一〇は七で割れる数である。創設当時、旧帝大には文法経理工医農の七学部があった。これら七学部に各三〇なので二一〇なのである。直接選挙の有権者数は当初は約四万、学会推薦になった一九八五年で約二四万である。現在は登録学協会からの推定数は八七万とされている。これほどの学界の規模拡大にも拘らず会員定数は一名も増えていない。「一〇億円」というのも半分は事務局の施設費・事務局人件費で、残りの二億円は加盟する国際組織への分担費であり、旅費が主な活動費は三億円にすぎない。当然増への手当だけで放置されたのである。

冷戦崩壊後の学術と科学技術

新ＳＣＪへの改編は「放置」でなく政府の積極的介入であった。それは一九九〇年代半ばに科学技術基本法が国会で全会一致で成立したことに始まるが、先進国で一斉に起こったことである。「筆者はＯＥＣＤがうち出したこの政策には二つの次元の異なるポイントがあると考える。一つはフロンティアが消滅しつつある世界経済に対処する先進国の当面の経済政策であり、もう一つは反進歩主義台頭も含む長期的な価値観の変動である」[*8]。経済政策のシンクタンクであるＯＥＣＤが科学技術や教育で積極的に各国の政策に介入してきた背景には資本主義の曲がり角の認識があると考える。一九七〇年代後半から蓄積した矛盾だがＩＣＴ技術での金融の肥大化などで延命したが、冷戦崩壊を期に顕在化したのである。

この時期にはまた国際的に環境や生命倫理などの科学が直面する人類的課題が浮上し、国際的な学協会、アカデミーの連携組織、Ｇ７サミット科学連携などを担う国内組織の必要性が増した。

＊8　佐藤「科学と民主主義の問題としての「大学ランキング」」石川真由美編『世界大学ランキングと知の序列化——大学評価と国際競争を問う』京都大学学術出版会、二〇一六年、第二章。

これら国際連携に与る団体の要件はＳＣＪのような研究者自身の選定による政府から独立した組織である。旧ＳＣＪ後半のような各分野の合意形成の内向きの場ではなく、人類的社会的課題に「総合的・俯瞰的」に関与する活動が要請されているのである。

新しい居場所をさがして

科学技術基本法施行にともなう機構改革は戦後最大のものであった。縦割りの省庁毎に戦後整備された機構の合理的な再編であり、縦割りを排する総合科学技術会議[*9]や科学技術担当大臣の新組織ができた。この変化の影響は、例えば、学術国際会議での大臣祝辞の風景にもあらわれた。基礎科学の場合はそれまでは文部大臣であったが、この時期から科学技術担当大臣にかわり、付き合いで文部省が欠かせない場合は挨拶が二つになる現実として研究者の目の前にあらわれた。

新体制では旧ＳＣＪの位置付けも当然変わるので、総合科学技術会議（議長は総理大臣）のもとで改革論議がはじまり、それには旧ＳＣＪも参加していたが、半世紀の歴史を発展させる改革ではなく、新体制での新しい居場所をさがす改革だった。新ＳＣＪの現状はこの新しい居場所にふさわしい組織と活動を作っていく改革の最中なのだと私は見ている。そして、今度は「異物」でなく、正当に全体の仕組みを支える組織として定員増や財政的な手当がなされるべきだと考える。

じつはこの改革論議の最中の二〇〇〇―〇三年に旧ＳＣＪの会員を務めたが、新体制については

「手術台にのせられてジッと待っている」という雰囲気だった。

新学術会議は新アカデミー

二〇〇五年に発足した新ＳＣＪについてはもうネット時代であるから、あらゆる情報がネット上で閲覧できる。正式な目標や構成や活動についてはそちらを見てもらうとして、旧ＳＣＪを経験した者が部外者として新ＳＣＪについて憶測していることを記しておく。

打ち出されたのがアカデミーとしての役割であり、これは旧ＳＣＪの「学者の国会」という原型とは完全に切れている。研究者層の代表という民主主義の発想でなく、会員が新会員を選ぶというコオプテーション方式になった。欧州などの古典的アカデミーは常人の職業としての研究者層が登場する一九世紀後半より前からのものだからコオプテーションしかありえないのであり、現在に引き寄せて考えるのは意味がない。二〇世紀のアカデミーは栄誉機関と国の学術行政に関与する機関の二つがあったが、二一世紀にはいって各国のアカデミーも、栄誉だけでなく、人類的問題で行動する機関へと改革されつつある。新ＳＣＪはこの新アカデミーの創造的な取組みを目指しているのであって、老舗アカデミーが目標なのではない。学術と社会の対話をめざして海

＊9　二〇〇一年に設置された総合科学技術会議は二〇一四年に総合科学技術・イノベーション会議に改称された。英訳は Council for Science, Technology and Innovation（CSTI）。

外の「老舗」も改革中なのである。

第二五期のＳＣＪは二〇二〇年四月にノーベル物理学賞を受賞し溌剌とした梶田隆章氏を会長に選び発足した。部外者の感想に過ぎないが、この執行部体制は、過去を問題にするのではなく、Ｇサイエンスなどの未来志向で新アカデミーを目指す目標を政府と共有したいというメッセージであったのではないかと推測する。この前向きな流れに「任命拒否」で応えてぶち壊しにかかるというのは政治家としての度量を欠く行動といわざるを得ないであろう。

第3章

新アカデミーと旧学術会議

――「すばる」と「カミオカンデ」の教訓

G8サミットとアカデミー

英国のロイヤル・ソサイエティの会長にまで上りつめたマーチン・リースについては、若いときから知っており、これまでも触れたことがある。[*1][*2] あるとき彼から「この前、プーチンに会ってきた」と聞いて驚いた。遠くニュートンの時代からの長い歴史を誇るロイヤル・ソサイエティの会長であった時のことだが、その職はあくまで科学者コミュニティの権威を象徴するものであり、政治の世界とは別だろうと思っていたから意外な話であった。それは前任者たちの仕事を見てきた彼にとっても意外なことなので周囲に〝自慢話〟として語っていたのである。大袈裟にいうと、この〝自慢話〟の挿話の背景には「冷戦崩壊後の科学」をめぐる大きなうねりがあるのであり、さらには「任命拒否」で国民の眼前に突然あらわれた日本学術会議（ＳＣＪ）の将来論議にも関わることであると私には思える。

学術会議の国際活動

国の学術を代表するアカデミーであるロイヤル・ソサイエティと日本学術会議を結ぶ線は理解できるから「プーチンの謎」を求めて、日本学術会議のHPをみてみた。すると国際活動の欄につぎの記述がある。

平成17（2005）年7月に英国のグレンイーグルズで開催されたG8サミットにおける主要議題であった「気候変動」及び「アフリカ開発」に関して、同年6月、G8各国及び関係国の学術会議が共同で声明を発出したことが、G8サミットの議論ひいては声明に大きな影響を及ぼしました。

G8各国の学術会議では、その成果を受けて、今後とも、毎年のG8サミットの議題や地球規模で科学者が取り組むべき問題に関して、共同で政策提言（共同声明）を発出することを目的とし、G8開催国で各学術会議の代表が一堂に会して議論をしていく枠組みを構築する方向で一致し、「G8学術会議」としての活動が開始されました。

＊1　佐藤「巨額の発明コンペ、経度賞はじまる」『科学者には世界がこう見える』第一一章、青土社、二〇一四年。
＊2　佐藤「工部大学校　後進国の先進性」『歴史のなかの科学』第二章、青土社、二〇一七年。

毎年、サミットの開催国を主催アカデミーとして取りまとめられる共同声明は、参加各国の首脳に提出され、日本では日本学術会議会長から内閣総理大臣に直接手交しています。

当初「G8学術会議」という名称でスタートしたこの活動ですが、参加アカデミーからの提案により平成24年以降、会議名称が「Gサイエンス学術会議」に変更され、現在まで活動が続いています。

二〇〇五年、英国がG8サミットの当番国であった機会に提起された「気候変動」などの学術界の取り組みが必要な課題について、当番国の学術会議（ロイヤル・ソサイエティ）の会長であるリースがG8各国の学術会議をまわって合意をとる仕事をしたのであり、それでロシアを訪れた際にプーチンにも会ったというのが冒頭に紹介した彼の個人的な挿話の背景なのである。二〇一四年のクリミア侵攻後、ロシアはG8から排除され、現在はG7である。日本が当番国であった安倍政権下での大阪サミットの際には日本学術会議も役割の一端を果たしたのだと思うが、世間でも研究者の間でもあまり知られていない。

アカデミーの役割とは

日本学術会議（SCJ）の来歴は旧SCJの前半（直接選挙の一九八五年まで）と後半、及び新

ＳＣＪ（二〇〇五年以降）の三期に分けられる。一般に現代のアカデミーの役割には次のようなものがある。Ａ会員を選ぶという栄誉授与、Ｂ国際学術団体への加入の母体および国際学術活動、Ｃ科学研究費の方針・配分、Ｄ高額な設備・施設の計画立案、Ｅ学術からの政府や国会に対する提言。Ｆ地球環境問題や遺伝子技術のような人類の将来に関わる政治の場では見落とされる課題についての長期的な展望・警鐘の声明。Ａ～Ｄは学術界内部の課題であり、ＥとＦは外部への発信である。

日本学術会議の場合

Ａの役割は日本学士院との関係の整理が放置されているので、新ＳＣＪの「自ら選ぶ方式」に栄誉の意味は定着しない。Ｂに関わる国際学術団体発足は第一次大戦後の国際連盟創設と同期している。ドイツは敗戦国なので当初は外され、公用語はフランス語であった。加盟には分担金が発生する。Ｃは前章で記したように途中から権限は取り上げられるが、その後も旧ＳＣＪでは選考委員候補と分野表案の提出を文部省の下請けで行っていた。Ｄは経済的に窮乏した戦後日本の歴史的事情も反映して高額な加速器や望遠鏡を共同で実現することにＳＣＪは大きな役割を果たした。大学間にまたがる共同利用研究所はＳＣＪにおいて構想され、行政は当該コミュニティの合意の場として尊重した。Ｅでは原子力三原則や前章で触れた原子力潜水艦入港反対のように政権にとって耳の痛いことも言ってきた。いわば科学が関わる国内政治の監視役のような役まわりであった。Fとは冒頭にのべた「Gサイエンス」のようなものを指すが、旧SCJの取り組みでは弱かったが、その理由は世界的にもこうした問題がクローズアップされるようになったのが二〇世紀終盤からであったこともある。

新SCJについてはあまり実情を知らないが、CとDを落とし、EとFと纏めた「総合的・俯瞰的」な提言が期待されているのではないかと思う。Bについては従来のICSU（国際学術連合）の各専門毎の活動だけでなく、冒頭に記したようなGサミットとの連携やアジア学術会議などを追加しているようだ。またEとFでは、科学技術や医療だけでなく、「多様性」、福祉や学校教育などあらゆる課題に及んでいるが、その効果や反響については承知していない。必死に努力中のようにみえるが、弱い財政基盤では限界があろう。財政的余裕があれば、日本の実情を海外に発信する課題なども浮かび上がるであろう。従来のこの課題ではとかく政府に異議をとなえる事例だけが世間に注目されたが、大学紛争以後はSCJを「突き上げる」研究者層の喪失で鳴りを潜めており、[*3] 旧SCJの後半では、SCJの場はさながら専門毎の研究条件整備の合意を形成する場Dになっていたと思う。

アカデミーの新たな役割

科学技術の野放図な拡大が人類を危機に追いやっているという認識は二〇世紀後半に急速にひろまった。パグウォッシュ会議、ローマクラブ、アシロマ会議、京都議定書、ブダペスト宣言、ICAN（核兵器廃絶国際キャンペーン）、パリ協定などはそうした事例であり、現在、グローバル化とネット化の過度な普及による問題も起きているように思える。新しいアカデミーにはこうした人類的課題を取り上げ、さらにそれを効果的に広める方法も問われている。多くの研究者のこれまでのエートスからすれば研究者にこのような役割が担わされるのは困惑ものである。だから新SCJの課題には科学界の職業意識という個々の研究者のエートスに関わることも入るのである。「学問の自由」を政権から守るだけの課題ではなく、専門分化の奔流に流されることなく「学問の自由」を人類のためにどう発展させるかという課題である。

＊3　例外が二〇一七年の軍事的安全保障研究に関する声明や報告である（池内了「倫理委員会としての日本学術会議」『科学（岩波）』二〇二一年一月号）。二〇一五年からの防衛省の研究費公募をめぐる「軍事的」研究に関するもので、SCJとしては約五〇年ぶりである。任命拒否問題はこれに端を発すると見られるが、SCJは医療での大学などの倫理委員会に類するスクリーンを要求したもので、公募の否定ではない。各行政組織の施策の評価は国会においてなされるべきである。

この課題の顕在化は第一次大戦前の二〇世紀初頭の「マッハ対プランク」論争[*4]に起源を持つと考えている、実は、それが二〇世紀後半の東西冷戦との関わりでどう変容したのかをテーマにしようと考えていたのであるが、突発的にSCJ会員の任命拒否問題が起き、予定に反して学術会議問題をとりあげることとなった。そこで序に旧SCJの大きな実績のあった役割Dの総括として感じているある事例を本章の後半で紹介したい。

ここで議論の流れが少し変わるがこれは自分流の課題としては学界内での「民主主義と科学」というテーマに関わる具体的事例である。

カミオカンデの小柴と学術会議

二〇〇二年のノーベル賞は小柴昌俊と田中耕一が各々物理学賞と化学賞を受賞して日本中が沸いた。まもなくしてSCJの事務局から「委員記録に小柴先生は全然出てこないが、それでいいのでしょうか?」という電話を受けた。当時、私はSCJの会員で物理学研究連絡委員会の委員長をしていたからなのだが、「ああ、やはりそうですか」と答えた。委員歴などはどうであれ、日本の物理学界にとっては画期的なことだから、委員長として「宇宙観測の新しい物理手段」という一般公開の講演会を乃木坂のSCJ講堂で開催した。当日、主催者として出迎えて控え室で待っている時、小柴はふと「この建物、ぼくは初めてだな」と漏らされた。小柴がそれほどに

ＳＣＪと関係なかったというのは、この分野の事情を知る者にはけっこう意外なことなのである。[*5] 小柴の業績は一九八七年の超新星爆発によるニュートリノをカミオカンデという装置で検出したことだ。加速器は使わないが素粒子検出の一種であり、つまり小柴は原子核・素粒子実験分野の人間である。そしてＳＣＪはこの分野で重要な役割を果してきた。なのに小柴が関係なかったというのである。

核特委と共同利用施設

前述のようにＳＣＪの成功した役割Ｄの発端は原子核・素粒子実験の分野であった。この背景にはこの分野の実験装置である加速器が高額なので日本に一つ共同で持ちたいという事情があるのであるが、もう一つの背景に原子核特別委員会（核特委）の存在があった。核特委は占領下の原子核研究禁止の監視を担う目的でつくられたものだが、一九五二年の独立で研究解禁となった後も核特委は存続し今度は共同利用の実験設備を立案し計画を実行していく推進母体となった。来歴に由来して核特委の委員は当時のこの分野の研究室を全部カバーしていたのである。物理学の中でも原子核・素粒子実験の研究室とＳＣＪの結びつきは特別に強かったのである。

＊4　佐藤『アインシュタインの反乱と量子コンピュータ』第六、七章、京都大学学術出版会、二〇〇九年。
＊5　佐藤「占領下異物としての学術会議」『歴史のなかの科学』第六章、青土社、二〇一七年。

さらに小柴が米国から帰国して日本で研究室を構えて活動した一九六〇年代半ばから一九八七年までの時期、KEK創設と加速器計画などの論議をめぐって核特委は熱い議論の場であった。その会場も一九七〇年以後は現在の乃木坂の庁舎である。小柴はこの頃は素粒子実験の東大の研究室を主宰しており、小柴もこの分野のオールジャパンの動きの渦中にあり足繁く乃木坂に通っているというイメージを裏切る発言である。この頃は小柴研究室もドイツの加速器DESYでの国際協力で素粒子実験を行っていた。したがって日本の素粒子加速器計画にも関わっていると想像するのは当然であり、こうした業界常識を覆す意外さの故にこんな挿話をわざわざしているのである。

スーパーカミオカンデはSCJ

その後、SCJ現会長の梶田隆章にノーベル物理学賞をもたらしたスーパーカミオカンデはSCJのもとで実現したものだが、一九八七年の発見をもたらしたカミオカンデは一研究室の主導で成し遂げられたものであった。小柴は「発見」後はすぐ東大定年で、後のことを戸塚洋二に委ねたから、結局「発見」の前にも後にも、SCJにはノータッチだったのである。

スーパーカミオカンデ完成後まもない二〇〇一年一一月に光電管が破裂する事故があった。その修復に奔走する戸塚が私の東京の宿までやってきたことがあるが、物研連での合意の有無を文科省から聞かれたようだった。当時、素粒子・原子核実験の大型予算についてはそうした慣行があったからである。だから旧カミオカンデの実験がＳＣＪと無関係で実現したのは意外なことなのである。その経費がそれほど高額でなかったことと東大の威光がまだ濃厚にあった時代のなせる技といえよう。

ＳＣＪ核特委には〝ほろ苦い〟歴史

この挿話がなぜ「民主主義と科学」に結びつくのか訝ると思う。ＳＣＪの場での民主的な合意のもと施設整備をしてきた日本の原子核・素粒子実験業界が米、ＥＵと並ぶ三極の一つという世界の第一線に躍り出たことは事実である。[*6] しかし、小柴や梶田のノーベル賞に結びつく素核実験の芽がＳＣＪの熟議の中からは生まれなかったのである。むしろ意図的にＳＣＪ核特委から距離をおいていた小柴が世界的なブレークスルーを切り拓いたといえる。核特委には〝ほろ苦い〟歴史である。もっとも現在はニュートリノ実験もＳＣＪ主導で実現した加速器と提携して大きく発展した。民主的合意に基づく基盤の整備や人材育成の制度が価値ある個人のアイディアの開花を

＊6　素粒子実験の国際コミュニティはＩＬＣ（国際リニアコラインダー）を構想して三極の一つである日本主導で実現しようとした。建設予定地の地元自治体や代議士は政府に陳情を始めたが、費用の多くを日本が持つことになるから学界はその他分野への影響を心配する。そこで文科省はＳＣＪにその評価をもとめ、ＳＣＪは二〇一九年末に慎重な対応を求める結論を出し、推進派の政治家の反感をかった。

可能にしたともいえる。

すばる望遠鏡と日本学術会議

もう一つの挿話は日本がハワイにつくったすばる望遠鏡の誕生に関わるものである。『天文月報（日本天文学会月刊会誌）』に掲載された海部宣男のインタビュー記事の一節を引用させていただく[*7]。海部は国立天文台の野辺山にある一〇m電波望遠鏡の計画建設を担った研究者だが、その後に電波とは違う光学望遠鏡の建設のリーダーに変身していった[*8]。この変身の経緯があるのでインタビューで「すばるとはどのあたりから関わっていたんですか?」と問われての答えが次である。

海部　はい、つまり日本の光のコミュニティーは光天連（光学赤外線天文連絡会）という、宇電懇（宇宙電波懇談会）に次ぐものを作った。で、そういうところで議論をしなきゃいけないって言うんで議論をした。それで何年もやったけども結論が出なかった。国内3.5m派と海外5m派の真っ二つに分かれて、ずうっと結論が出なかったわけ。じゃあ学術会議に何て言うんだ、次の天文の計画はどうするんだってときに最後になってもうえいやぁって結論を出したのが国内3.5m。それで光天連を代表して学術会議天文研連（天文学研究連絡委員会）でその国内3.5m

を提案したのが小平桂一さんですよ。小平さんが「3.5 mをまず国内に作って、それがうまくいったら国外に大きい望遠鏡を作る。そういう計画を提案します」とこう言った。そしたらしばらくみんな黙ってて、僕は本当に忘れられないんだけど、口火を切ったのが林忠四郎さん。あの口調で、「ええんかね、そんなことで」。いやあ、あの一発だね。そしたらすぐ小田（稔）・早川（幸男）が、「やっぱりここまで来たら、海外に世界一のものを作るべきではないか」と。それで古在さんが台長としてそこにいて黙ってたけども、「どうですか、古在さん」、つまり天文台長としてどう思うかと。「できると思います」と古在さんはこう言った。それで決まったんですよ。[*7*9]

＊7　高橋慶太郎「海部宣男ロングインタビュー 第7回：すばる望遠鏡（前編）」『天文月報』（日本天文学会）vol. 113、六四四頁、二〇二〇年一〇月。

＊8　海部宣男（1943–2019）東大卒後に揺籃期の宇宙電波に取り組み当時最先端の延山観測所の口径四五m電波望遠鏡の設計・完成に中心的役割を果たした。一九八二年頃から観測開始し、ミリ波での星間分子の観測などの研究で森本雅樹と仁科賞を共同受賞（一九八七年）。一九九一年、すばる望遠鏡プロジェクトに移り、一九九四年にプロジェクト推進部主幹、一九九七年には初代ハワイ観測所長としてすばる望遠鏡を完成に導いた。二〇〇〇年には帰国し、国立天文台長となり、国際計画アルマ計画を米・欧と共同で発足させた。二〇一二―一五年IAU会長。

＊9　文中の「3.5 m」などは望遠鏡の口径。実現した「すばる」は八・二m。当時の林（理論）、小田（X線天文）、早川（宇宙線）はいずれも物理学の出身であり、光学天文学業界の当事者ではない。

ここで質問者が「コミュニティーの意見が覆された」ことかと念を押すと「そうだ」と確認したうえで、この後の光天連は大騒ぎだったらしいと述べている。「つまり簡単に言うと、保守派対革新派といってもいいものだったと思いますね。冒険だとしても、あるいは多少時間がかかったとしても、やっぱり世界レベルのものを作ろうと思ってた人がどれくらいいたか、僕は知りません。そういう中で議論すると、必ずしも民主主義はいい結果を出さんというのは、その通りなんだよ。最後は多数決を取って国内3.5mになるって感じじゃないのかなあ。これは僕はよく知らんけど」。

ボトムアップの構造

これらの証言を理解する周辺事情を説明した上で、この挿話が「民主主義と科学」にどう絡むかの本題に戻ろう。まず天文学は観測技術によって大きく「光学」と「電波」に分かれ、その上で対象としては「太陽」と「宇宙」の二つに大別される。そして大概の研究者は「宇宙・電波」とか「太陽・光学」といった一つの専門で仕事をする。SCJの天文研連での議論に広い意見を反映するために光天連や宇電懇という任意団体がある。その会員は学会発表等の条件のもとで加盟を「委員会」で承認する。「委員」は会員の投票で選出され、天文研連に提出する意見などを集約する。前述の話でいうと、光天連で集約した計画案が天文研連で承認されて共同研究機関の国立天文台の計画として文部省（当時）に概算要求し、文部省は省内の学術審議会で承認して大蔵省（当時）に要求するというのが通常のしきたりであった。予算の減額要請による計画の部分修正などの交渉でもこの繋がりが保持される。

挑戦への尻込みか？

資料に基づく錯綜した経過の報告（野口邦男「すばる計画黎明期を築いたひとびと」[*10]）もあるが、ここでは後に中心人物になる海部の見方で述べている。当時、彼は宇宙電波の研究者であり光天連の団体には属していないから意見集約の過程には参加しておらず「これは僕はよく知らんけど」となる。海部の見立てでは「覆った」理由は「保守派対革新派といってもいいものだったと思いますね」である。具体的には外国に望遠鏡を建設するという初挑戦を実際に担うことになる当事者たちに自信がなく安全思考の「保守派」となったというのが海部の見立てである。海部がまだ宇宙電波の人間であった一九八五年前後にこうして日本の大型望遠鏡の外国設置の方向が定まった。この未知の大挑戦にいどむ人材が専門の光天連関係者におらず、異例の処置として〝他分野の〟海部にその役目がまわってきたのである。「通常のしきたり」転覆もこの海部抜擢人事も全員参

＊10　野口邦男「すばる計画黎明期を築いたひとびと二〇一二年二月」（gopira.jp/siryou/subaru_predawn.pdf）、国立天文台すばる資料室 Core。

加的な民主主義路線からの大きな逸脱であるが、これで成功したことも事実である。

ボトムアップの限界

先に引用した海部インタビューのポイントはこの「通常のしきたり」が覆って「すばる」が実現したことにある。当該分野の研究者の集約意見が〝大御所〟（林、小田、早川）の意見によって潰されて、別案が国立天文台の計画になったのである。ボトムアップの民主的意見集約を重視する慣行によらない決定がなされたのである。〝大御所〟は自分が実行するのでないから大所高所から自由に意見が言えるのである。そして、三十数年たった現在から振り返ると、その決定がポジティブに評価されているのである。民主的に集約された意見に従っていたら失策に陥っていただろうと。学界では民主的人士と目されていた海部の「必ずしも民主主義はいい結果を出さんというのは、その通りなんだよ」の告白は重い。[*11]

「民主主義と科学」

「小柴カミオカンデ」と「ハワイのすばる」という日本の誇りともなる科学施設の誕生物語をみると「民主主義と科学」論議に一石を投ずるものがある。さらにこの分野での戦後日本の「民主主義と科学」の重要な一つの物語であるＳＣＪが育んだ学界慣習の陥穽も見えてくる。もっともここでの「民主主義」は学界運営の民主主義であって、社会の民主主義と科学の関係は一応別物であり、両者の関係は自明ではない。同じものだとの見方もあれば科学には民主主義は馴染まないという見方もある。私は「科学と民主主義一〇話」という文章で多様な現代での側面を描いたことがある。[*12] 民主主義と科学はともに西洋近代の登場を画したものであるし、将来に向けても社会革新の盟友であるとする見方がある。コロナ禍でよく聞いた「科学的」という言辞にもその希望が託されている。ところが科学が制度として確立した二〇世紀初頭、「科学的」と「制度科学」の分離が顕在化してきた。「マッハ対プランク」の論争はその嚆矢といえる。[*4*13] 二度の大戦とソ連の登場は「民主主義と科学」の課題を複雑にし、米ソ冷戦期の米国を中心にクーンのパラダイム論のように両者を分離する言説が普及していった。米ソ冷戦の対立構図が後景化すると、科学技術と野放図なグローバル産業は超フラットな世界を出現させ、その過剰流動性は分断を顕在化させた。人々は「普遍」でなく「個別」の歴史や物語に安堵を求めだすのかも知れない。西洋近代とのパッケージではない新たな科学論が問われる時代にあるといえる。

＊11　海部は大学紛争当時、東大大学院生協議会の委員長であり、その後は組合にも熱心な人物だった（「海部宣男ロングインタビュー　第3回：学生運動」『天文月報』vol. 113、三六二頁、二〇二〇年六月）。海部はまた元首相海部俊樹、二〇〇八年ノーベル物理学賞を益川敏英と共同受賞した小林誠と親戚である。
＊12　佐藤「科学と民主主義一〇話」『科学と人間』第一章、青土社、二〇一三年。
＊13　佐藤『職業としての科学』第三章、岩波新書、二〇一一年。

Ⅱ　科学と学問

近年の科学研究界では学問や学者という言葉の影が薄いが、世間ではいまも学問と学者を期待している。二百年も遡ると科学は西洋の学問世界でも新参者であった。第４章では一九世紀初めに英国でサイエンティストという新語が登場した歴史的状況を詳しく再現した。第５章では「科学って学問？」との問いを立ててみた。科学が現在の学問なのか？　この二つは並列関係にあるのか、包摂関係にあるのか？　第６章ではサイエンスを表す日本語の遍歴を歴史的にみる。憲法に明記されているのは「学問の自由」であって、法律では科学という言葉の影が薄い。

第４章

新語「サイエンティスト」への抵抗

――自然哲学と自然愛

ケンブリッジのドン　ウイリアム・ヒューウェル

「一八三三年六月二四日、英国科学振興協会はその第三回大会を開催した。発足間もない協会の九五二人の会費納入会員が、イングランド、スコットランド、アイルランドはもとより、欧州大陸やアメリカから、ケンブリッジにやってきたのである。開会の全体集会で、会員と同伴の妻や娘たちは大学の豪華で広大なセネタ・ハウスに集まった。舞台に現れた一人の講演者が目に入った時、聴衆の抑えきれない興奮と期待で会場は満たされた。長身の講演者ウイリアム・ヒューウェル（William Whewell）は三〇代後半の精悍な人物で、強肩な体力と高潔な心性で有名な人物である。彼はケンブリッジのスター、トリニティ・カレッジの発信力のあるフェローであり、鉱物学の教授を最近辞任し、いくつかの物理学の教科書と、科学と宗教の関係を大胆に論じた新著の著者であった。数年前、彼がトリニティのマスターに任じられた時には皆が当然のことと受け取った。このポストは大学では最も強力な地位であり、世界のアカデミー界でも最強の地位であるともいえた。ヒューウェルは全英科学振興協会創立の指導的人物の一人であり、このケンブリッジ大会のホストであることを誇りにしていた。

ヒューウェルは力強く自信に満ちた声で、故郷のランカシャー・アクセントの独特の母音の訛りで、語りだした。彼は集まった人々に賞賛を送り、サイエンスのクイーンとしての天文学に触れるなどしてサイエンスの現状を論じた。彼はサイエンスの特性に触れ、その形成における現象と理論双方の重要性に触れ、鋭い観測者の力量と合理的思考の探求がサイエンスの成功した実践では結び合わされていることに触れた。彼はトリニティ・カレッジの大先輩で、一七世紀の改革者であったフランシス・ベーコンに触れ、ベーコンの様々な先駆的予言と協会のゴールとを結びつけた。それは大会主催者が開会の辞において彼に期待したものずばりの名人芸のパフォーマンスであった。ヒューウェルに対してのみならず、自分達の良識とよき嗜好とが一体になったものを感じ、感動に満ちた大拍手の後、会場は静かになった[*1]」

「サイエンティスト」の誕生

「拍手がおさまったとき、ある一人の人物が立ち上がった。参加者が驚きを持って気付いたそ

＊1　Laura J. Snyder, *The Philosophical Breakfast Club : Four Remarkable Friends Who Transformed Science and Changed the World*, *Broadway books*, 2011 : 邦訳はなく引用は筆者の翻訳である。YouTube の TED talk に「ローラ・スナイダー「哲学朝食会」」（一二分）というのがある。同じ英語からの翻訳だが本稿では書名を『哲学朝食クラブ』とした。

の人は、ロマン派詩人として有名なサミュエル・テイラー・コールリッジであった。過去三〇年ほど、ハムスタッド近くのハイゲートの自宅を滅多に離れることもない暮らしぶりだった。十数年前に彼はサイエンスの手法について小論を書いているのでこの大会に親近感をもったのか、はるばるとやって来たのである。一年もしない内に彼は亡くなるので、これは最後の遠出だった。そして彼による大会への介入はサイエンスを行う人々に今日まで及ぶ大きな影響を持つことになるのである。

当時、サイエンスを行う人は men of science（この時代女性はほとんどいなかった）、savants（大いに学のある人を指すフランス語）、サイエンスと古代からある哲学との緊密な関係を想起させる natural philosophers、などと呼ばれていた。コールリッジは意地悪くこの協会の会員は自分達を natural philosophers と呼ぶべきではないと指摘したのである。化石を探して穴を掘ったり、電気道具で実験をしたり、そういう人はこの定義に当てはまらない。彼らは宇宙のミステリーを熟考している armchair philosophers でなく、手を汚して働く職人である、と言いたいのだろう。コールリッジは、真正な metaphysician として、彼らにこの敬称の使用を禁じたのである。

会場には動揺した響めきが起こった。大会参加者はコールリッジの辛辣な侮辱に腹を立てていた。そのときヒューウェルが再び立ち上がって聴衆を鎮めた。彼は行儀よく高貴なジェントルマンに同意を示し、協会の会員が望む呼び方として、もし philosophers が広く高尚な言葉であるなら、artist に倣って、scientist はどうかとヒューウェルは提案した。この言葉が鋳造された時、場所、作者は単なるハプニングの偶然ではなかった。それは、非凡な四人（ヒューウェルと三人の友人）の二〇年に及ぶ蓄積によるものであった[*1]」

ヒューウェル造語の「サイエンティスト」

引用が長くなったが、これはローラ・スナイダー『哲学朝食クラブ』（*Philosophical Breakfast Club*）の冒頭の一節である。[*1]「サイエンティスト」という言葉が初めて登場した情景を臨場感込めて描いている。印刷された文献から新語を蒐集する文献学の調査によると「サイエンティスト」という話は一八三四年に初登場となるようである。それは大英図書館発行の書評誌に掲載されたメアリー・サマヴィル（一七八〇―一八七二）『物理科学の諸関係』（*On the Connexion of the Physical Sciences*, 1834）の書評の中で前述の経緯を簡略に記した文章に登場する。当時、書評は匿名が慣習なので無署名だが、筆者がヒューウェル本人であることは分かっている。さらに彼は一八四〇年出版の『帰納主義の科学』（*The Philosophy of the Inductive Sciences*）で再び「サイエンティスト」の呼称を奨励している。

彼はこの頃ファラデーの要請で、イオン、カソード、アノードなどを造語している。また後に、地質学者ライエルの要請で、**Eocene**（始新世）、**Miocene**（中新世）、**uniformitarianism**（斉一説）、**catastrophism**（天変地異説）などの造語もしている。このように彼は科学界での新語の創造には熱心で、一八三三年のこの提案は、有名老詩人のコールリッジのハプニング的な行動へのその場しのぎの対応ではなく、その後も「サイエンティスト」に変えた方がいいと勧めている。

サイエンス、サイエンティスト、サイエンティフィック

この「サイエンティスト」登場の話を聞いて次のような疑問を抱く人がいるだろう。man of science のような呼び名が既にあるのだから、学問や知識の世界でサイエンスと特定される営みが社会的に認知されているのであり、「サイエンティスト」という語の登場よりは、むしろ「サイエンス」という言葉の登場の方が重要なのでは、と。

ここで関連する言葉の変遷の意外な事実に驚かされる。サイエンスという言葉がもともとあり、その性格を表現する形容詞としてサイエンティフィックがあると思いきや現実は逆なのである。英語にとって、これらの言葉は全て学問や知識の性格に関係するギリシャ・ローマ由来のカタカナ語である。そのなかで独特な意味を持っていたのはサイエンティフィックであった。これは知識の対象やテーマによる特徴づけではなく、系統的で秩序のある理論的な所見や命題、あるいは論議の上で立証可能な証拠のあることがサイエンティフィックと表現されたのである。そしてもともと知識一般を表すサイエンスという語が次第にサイエンティフィックな知識の総体であるという性格を帯びてきたのである。サイエンティフィックな知識が自然の探求で多いので、もともと対象中立であったサイエンスが自然学に偏ったということもある。[*2] この関係は機械の登場前に

メカニカルがあったというのに似ている。[*3]

『哲学朝食クラブ』とヒューウェル

「サイエンティスト」がヒューウェルの造語だという解説は日本でも多く見かけるが、登場時の情景やヒューウェルという人物については余り語られていない。実は先に引用した『哲学朝食クラブ』はヒューウェルを含むケンブリッジ大学の学生時代に友人となった四人の生涯を描いた物語である。四人のうち天文学者のジョン・ハーシェル(一七九二―一八七一)と機械式計算機のチャールス・バベッジ(一七九一―一八七一)の二人の名は一般の科学史にも登場するが、他の二人はウィリアム・ヒューウェル(一七九四―一八六六)と経済学のチャールス・ジョーンズ(一七九〇―一八五五)である。ハーシェルは社会的にも著名であった天文学者ウィリアム・ハーシェルの息子である。ジョーンズやバベッジの実証的経済学への貢献はマルクスにも影響したという。

四人が初めて顔を合わせたという一八一二年当時のケンブリッジ大学のカレッジの学生にとっ

*2 Sydney Ross, "Scientist : The Story of a Word", *Annals of Science* 18 (2), p 65–85, 1962 ; David Philip Miller, "Story of 'Scientist : The Story of a Word'", *Annals of Science* 74 (4), 255–261.

*3 佐藤文隆『「メカニクス」の科学論』第二章「「メカニクス=力学」の誤解――メカニカルは差別用語だった」、青土社、二〇二〇年。

て日曜日のミサに出席することは義務だったので、その後に朝食を一緒に取りながら議論する会合を「哲学朝食クラブ」と名付けていた。当初の話題はフランシス・ベーコンが描いた科学の未来図であった。それを英国の現状と見比べて悲憤慷慨し、若者達の夢を語り合った。本書は以来半世紀後の一八七〇年代までの科学の世界の物語であるが、特徴は四人の個人的な生活にわたる詳細な記述であり、そこに科学と社会の関係の変遷を見ることができる。また、ハーシェルとバベッジは裕福な家庭出身であるが、ヒューウェルは大工の息子であり、こうした個人の経済力の差がどう経歴に反映するかといった、当時の職業社会の事情を知ることもできる。四人は別々のキャリアの道を歩むが、その後も生涯にわたって交流は続いた。

四人の心を捉えたのはベーコンの遺作『ニュー・アトランティス』（一六二七年）に記された空想上の国の科学技術研究事情の予言である。*4*5 この組織の目的、実験施設と研究所、研究員の役割、儀式と典礼、広報・予報についての構想力に刺激されて英国科学界の改革の志を抱いたのである。

トリニティ・カレッジのマスター

冒頭の引用文でヒューウェルを引き立てる描写からも推察されるように、トリニティー・カレッジのマスターの地位は英国では最高の知的権威の位置にあった。科学者の世界ではその名が世界に轟くのは、国境を越えた普遍的な事象についての貢献に限られる。ヒューウェルは数学の才能に秀でた天文学や地理学の自然科学者であるが、イングランド内を縦横にはしる運河の水位への潮汐の影響を実証的かつ理論的に解明して、運行業者にも役立つ実際的処方を作るという貢献をしたのだという。またヒューウェルの名前には、時々、Rev.（Reverend）という僧職にある人への敬称がついている。古典的カレッジのマスターはカレッジのチャペルという宗教組織の司祭でもあるのである。ヒューウェルは宗教とも繋がる従来の知的権威の地位にあって新興サイエンスの社会的定着に貢献した人物なのである。

私が英国の科学や大学の歴史に興味を持ったのは、一九七〇年代はじめから宇宙物理の研究上で同僚であるケンブリッジ大のマーチン・リース（Martin Rees）が英国科学界で出世していく様子を見てきたことに始まり、その見聞はこれまでも何回か書いている。[*6*7*8] 二〇一六年の新年には日本国から叙勲を受けたことを彼から知らされて、慌ててお祝いのメッセージを送ったこともあった。在英日本大使館での親授式での彼の演説の記録を読んで、王立協会が科学に貢献した国家元首に贈るチャールズ二世メダルの第一号が平成天皇であったことなどを初めて知った。また王立協会

＊4　ベーコン『ニュー・アトランティス』川西進訳、岩波文庫、二〇〇三年。
＊5　佐藤文隆『「メカニクス」の科学論』第九章「好奇心の解放とメカニクス——フランシス・ベーコンの科学」、青土社、二〇二〇年。
＊6　佐藤文隆「「ブリックス」で開国」『日本経済新聞』二〇一六年三月二〇日。
＊7　佐藤『歴史のなかの科学』第二章「工部大学校　後進国の先進性」、青土社、二〇一七年。
＊8　佐藤文隆『科学者には世界がこう見える』第一一章「巨額の発明コンペ」、青土社、二〇一四年。

会長時の彼の「プーチンに会ってきた」という発言からサミットでのアカデミーの新しい役目を知ったことは本書第3章に記した。

彼の出世街道の中でトリニティ・カレッジのマスターの地位が別格のものであることも知った。女王と首相（彼の時はブレア）同席での任命式だったという。彼がマスターだった時期に家内と二人でケンブリッジを訪れて歓待されたが、稀有な経験はマスター・ディナーに招かれたことである。これはフェローが学生と一緒に大食堂で行う食事会ではなく、マスターが招待客と関係するフェローを招く一〇名程度の一つのテーブルでの夕食会である。驚いたのは、いまでも食事の前に立ち上がって祝詞を唱和するといった宗教儀式の作法を残していることである。ヒューウェルがマスターの時代のカレッジはもっとも宗教色が強く、Rev. の敬称が自然であったのであろう。

大学人は独身だった

表面上はユニバーサルに見える科学や大学の制度でもヨーロッパの古い組織には思わぬ歴史が込められている。「哲学朝食クラブ」の四人の青年の人生行路の詳細を見ていくとそうした歴史に出会う。例えば、オックスブリッジなどの古典大学のフェローは気楽に結婚できなかった。[*9] 大学での学者の道を選ぶか結婚を選ぶかが迫られることもあったのである。チャールズ・ダーウィンの孫娘の一人であるグウェン・ラヴェラ（一八八五―一九五七年）の父はケンブリッジ大学の物理学教授だったが、彼女の自叙伝には次のような一節がある。「1878年から、改訂大学定款が各コレッジで次々と施行され、フェローはその地位を失うことなく結婚できることになった。それまでは、少数の例外を除くと、結婚が許されていたのは、コレッジの学寮長と講座教授だけだったので、大学に関係ある子供はほんの少ししかいなかった。しかし1878年以降、子供たちが現れはじめた。というわけで、私はフェローの家庭の長子として生まれた子ども――最年長グループではなかったけれども――の一人だった」[*10]。オックスブリッジなどの古典的大学の大学定款では、例外はあるとはいえ、若くして大学教員になることと家庭をもつことは両立しなかったのである。その選択を迫られる悩みがあったのである。この転換期前のチャールズは富豪ウェッジウッド家の娘と結婚しているから、大学に就職しなくても生活の心配はなく、一〇人以上の子沢山に恵まれたのである。「哲学朝食クラブ」の四人のうちヒューウェルだけがケンブリッジ大学に留まり、他の三人は外に出て結婚している。

＊9　佐藤文隆『科学者には世界がこう見える』第六章「阪急「苦楽園」」、青土社、二〇一四年。
＊10　グウェン・ラヴェラ『ダーウィン家の人々――ケンブリッジの思い出』山内玲子訳、岩波現代文庫、二〇一二年。

ドイツ科学の台頭と「ブリックス」台頭

ニュートンもかつてトリニティ・カレッジのフェローであり、チャペルにはその立像が置かれている。こうした光景を見るとケンブリッジ大学は常に科学の先頭にあったと考えがちだがそうではなかった。一九世紀初めから科学のフロントは実験が駆動する化学・熱・電気に移った。共和制のフランスではいち早く理工系専門家養成の高等教育をスタートさせ、またドイツでは化学をはじめとした産学協同の実験教育を大学に導入した。ギルドの伝統技術者の養成に加え、この時期以後、科学に基礎をおく技術の人材養成に高等教育が加わったのである。ドイツのリービッヒは化学実験教育を始め、その活気に魅せられて英国からドイツに留学する若者が六〇名にも達したという。[*11]

英国の科学教育の後進性に気づき、ビクトリア朝（一八三七―一九〇一）の頃から、英国でも工科を持つ新大学（ロンドン、マンチェスター、バーミンガム、グラスゴーなど）が設置された。しかし、社会のエリート人材の供給源の権威であったオックスブリッジはなかなか実験教育の導入に踏み切らず、新大学の出身者を「ブリックス」（オックスブリッジの建物は大理石だが、新大学の建物は総じて煉瓦［ブリック］造り）と呼ぶ気風だった。その一方、産業、教育、軍隊、海運、公務などに科学に関わる新たな専門家の中産階級が増していった。強烈な個性と僥倖を踏み台にした科学者のイメージから「職業としての科学」に次第に転換していった。こうした中で、独身という制約があると優秀な人材が得られなくなったので、結婚に関する古典大学の規則も廃止されたのである。

啓蒙・ロマン・産業・国民国家

私は二〇世初頭までの科学の進展を、「啓蒙」と「産業」の間に「ロマン」を挟み、「啓蒙・ロマン・産業・国民国家」の展開で見る視点を提示している。[*11][*12] ホルムズの『驚異の時代』（*The Age of Wonder*）[*13]がこの時代を描いているが、彼はその時期をキャプテン・クックが世界一周航海に出た一七六八年に始まり、ダーウィンの乗船したビーグル号が世界一周に船出した一八三一年頃までとしている。因みに本章冒頭に記した場面は一八三三年であった。次の「産業・国民国家」の時代の科学は高度な専門化に向かう。

初期の「ロマン」の特徴は蒸気機関や気球などの体験ものであったが、そこから徐々に知的な驚きに視点が移っていき、大衆の見る科学は人物と一体のものとなった。デービーはその発見の新鮮さで魅了しただけでなく、容貌やパフォーマンスでも人々を魅了し、聴衆も司祭の説教、

＊11　佐藤文隆『職業としての科学』岩波新書、二〇一一年。
＊12　佐藤文隆『科学者、あたりまえを疑う』第七章「「法の支配」とワンダー科学」、青土社、二〇一五年。
＊13　Richard Holmes, *The Age of Wonder*, Haper Press, 2008.

シェークスピア役者や演奏家の演技などと同じ視線を向けていた。コールリッジ、キーツ、ワーズワースといった当代人気の詩人たちの賛辞もこのパフォーマンスを盛りたてた。その人気が財力を持つ人士による財政的支援を誘導した。[*11] 王立研究所に始まる実験演技を伴う科学講演は人気を博し、娯楽的要素も加味した有料の「驚異の見せもの」が興行的に各地で行われた。派手な火炎を用いた実験演技や笑気ガスを吸わせて精神のトランスを体験する怪しげな科学興行も始まったりしたが、メジャーにならず萎んでいった。

四人が改革したこと

『哲学朝食クラブ』の著者によると、四人は帰納法的手法の強化、知識の大衆化、科学界の慣習、研究費確保の制度の四点で改革を進めたという。第一の点は理論構成上での演繹と帰納の科学論に踏み込むというよりは、従来の学問の主流であった文献学と差別化した調査や実験を強調したことである。第二と第三の点は関連しており、学者の世界の権威主義的慣習の打破である。たとえば王立協会は高級人士のクラブと化し、いつの頃からか発表者に対する質問は法度になっていた。またサマヴィルの登場のように科学を女性に広めることを強化した。生活に余裕が出てきたこともあり、ファラデー『ロウソクの科学』で知られる王立研究所での実験演技の人気はロンドン市民の中に科学を新しい教養文化として受け入れられた。第四の研究費をめぐる英国の動向は拙著『職業としての科学』[11]に詳しく記している。

なぜか広がらなかった「サイエンティスト」

当時の英国科学界のスターともいえるヒューウェルの提案にも拘らず、「サイエンティスト」の普及は進まず、二〇世紀にまで持ちこされた。[2] 物理学でいうと、ケルビンやレイリーなどの古典物理の大家の時代から、一九世紀末のミクロ物理への三大発見（X線、放射線、電子）のような開拓者型のトピックスが物理学の前面に登場した時代である。科学のイメージが大家の思索というより、実験で自然に挑戦する専門家によって進展しているというイメージへの変貌の時期と重なっている。

普及への抵抗は三つほどあった。一つ目は単純で、この新語が学問の新興国米国でサイエンスと一体のものとしても拡がったことへの「上から目線」の軽蔑である。特に、進化論論争などで科学界の論客だったハックスレーはあからさまに米国流を批判した。米国での移民の増加で英国英語が揺らぎ出した広い問題とも絡んでいた。残る二つの理由は、専門家と愛好家の双方で、既に手にしているものを手放すことへの寂寥感である。man of science や natural philosopher が当事者から見ても高尚過ぎるのは分かるが、背伸びしてそれに合わせようという努力目標に掲げるのは意味がある、という理由である。現在基礎科学の博士号を Ph.D.（Doctor of Philosophy）と呼ぶのはその名残だろう。

慈善事業の後援者

「サイエンティスト」は科学愛好家にも不評であった。天与の科学探求心を共有すると考える科学愛好家には dentist や pediatrist（小児科医）などと一緒にされることは受け入れ難いものだった。彼らの理想には、教養ある教育を受けてのフィランソロピックな喜びという、知的な趣味として科学があった。特にお金のために科学を行うのは品が悪いと考えられた。デービーやファラデーは科学の実行で生計をたてていたわけだが、発明に特許を取ったり、発見の公表を制限したりして金儲けすることは厳に戒めていた。正真正銘のアマチュアも現実にはプロフェッショナルである者も、ともに同じアマチュア精神を理想とし、自分達を人類の慈善事業の後援者なのだとみなしていた。「サイエンティスト」は科学のビジネスというニュアンスを持っていた。それは彼らの愛の行動を儲けやサラリーのためのつまらぬ仕事に貶めるものだった。しかし時代は変わり、こうした古い理想は消滅し、新しい教育制度のもとでは医学、法学、神学と並ぶもう一つの新職業となって生き残った。[*2]

Nature の抵抗

今では科学界を代表する雑誌 *Nature* ではサイエンティストという言葉を一九二〇年代まで使わなかったという。一九二四年頃の *Nature* の読者欄にサイエンティストを使わないなら別のワンワードを決めて欲しいという投書があり、これにエディターは「これまで *Nature* では man of science や scientific worker などを表すのにサイエンティストを使ってこなかった。優れた men of science を含む良い英語の権威者の方々に、サイエンティストを採用することも含め、ご意見をお聞かせ頂きたい[*14]」とやっと検討を約束している。

この一件はこの時期の科学界での一般的状況というよりは、一八六九年の雑誌創設当時の創刊者ロキャーの精神を引きずっているとも言える。ロキャー自身は軍官僚で生計を立てる一方で、自力で太陽物理という天文学を開拓して頭角を現し、デボンシャー委員会のコーディネーターをして英国科学界の改革に貢献した[*15]。そこには科学に従事することは生計の為ではなく、科学愛によるものであるという過度期の精神が色濃く残っていたのであろう。

＊14　*Nature*, Vol. 114, 1924, p. 788.
＊15　佐藤文隆「天文学工場——グリニッチ天文台」『異色と意外の科学者列伝』岩波科学ライブラリー127、二〇〇七年。

Nature 創刊号には、あの「サイエンティスト」嫌いのハックスレーが雑誌創刊の意義を謳った論文を寄せている。またワーズワースの詩の一節"To the solid ground of nature trusts the Mind that builds for aye"（自然の堅固な地盤に、永久に築き上げる心を託す）を添えた不思議な大地の絵（丸い地球が大地から昇ってくるような絵）がその後毎号の雑誌の巻頭のデザインになったのである。専門家とアマチュアが一体であった「ロマン」時代の科学の精神がまだあちこちに残っていたのである。[*11]

第５章

「学問」と「科学」の現在

——「科学って学問？」

今西錦司と桑原武夫の学問

表aとbは、各々、今西錦司（一九〇二―一九九二年）と桑原武夫（一九〇四―一九八八年）が科学と学問の性格の比較を表に示したものである。[*1] 今西の学問は直観的で漠然と「世界観」と見ているのに対して、桑原の学問は「当為」や「自己救済」といった「主体性」が強調されたものになっている。今西の類推的解明法には生態学者としての性格が反映しているように思われる。二人とも学問の特徴は因果性や法則性の解明ではないとしている。学問にしろ、科学にしろ、真理の探究であるのは共通であると思うが、学問での真理は正誤というマルペケで採点できるようなものではなさそうである。自然にせよ、人倫にせよ、正誤で分類される言説の体系として真理が表現できるものでないのが学問のようである。

お二人とも研究者というよりは学者という風情の先生たちである。お二人がこのような話をしているのは四〇年程前の一九八〇年前後、お年はもう七〇代後半、世間の尊敬を集める大家としての講話の中に出てくる一コマである。回顧的な発言であるから、四〇年前の学問世界の状況を

a　今西錦司 1979 年

学　問	科　学
メタフィジクス	フィジクス
形而上学	自然科学
全体論的立場	還元的立場
類推的解明法	因果的解明法
コースを直観	プロセスを分析
世界観の把握	テクノロジーと直結

b　桑原武夫 1980 年(括弧内は今西加筆 1982 年)

学　問	科　学
古	新
主体性	客観性
総合	専門的
成熟	
	進歩
当為（超意識）	認識（意識）
目的的（超効用的）	自目的（効用的）
非法則的（超法則的）	法則的
自己救済	他者教養（社会奉仕）

表　学問と科学の比較

語っているというよりは、彼らが学者の道を志した頃である欧米に開かれた大正文化を引きずった昭和初期の青年たちの心意気の表現なのかも知れない。

世間の願望と研究界の現実との齟齬

現在、「科学」や「研究」や「学術」といった言葉にはよく出会うが、「学問」とかあるいはそれに従事する「学者」とかいう言葉には滅多に出会わなくなった。しかしそれは自分のような大学や研究界という世界を多く見ている者の感じ方であって、それと無縁の一般の人達の間では今でも学問や学者という観念は根強く残っている。変わったのは研究界の中での意識の方である。過去三、四〇年の間での研究界の変転に接する機会のない多くの一般の人には、今でも人々の願望としてのあるべき

＊1　今西錦司「私の学問観」『自然学の提唱』講談社学術文庫、一九八六年。

学問や学者の観念がバージョンアップされずに残っているように思う。激変した現在の研究界の中では「学問」や「学者」という用語が当事者の間で忌避される深層心理には、それらに含意された世間の願望に正面から向き合うことへの負担があるのである。このお二人の世代の研究界の人々は世間でのエリートであり、文化的資産はもとより、それに相応しい経済的資産も社会的に保障されていた。それは社会が学問や学者に託した願望と一体のものであり、その付託に応えるべき使命感を背負って生きていた。このお二人などは自由気ままに生きたように見えるが、人生の随所に世間の付託を背負っていたことを感じさせる場面もある。

異なる価値判断の二つの柱か?

ともかく四〇年前のこのお二人の学問と科学の比較の中身に入る手前で、彼らにとって自明であったメンタリティと、現在の平均的な研究者の間に定着したメンタリティとの間のずれの方に目がいってしまう。いま俄に「学問と科学の比較?」と問われたら、「学問と科学は排他的に併存して並ぶ別のもの?」とか、「学問の一部分として科学があるの?」とかいうように、互いの包摂的関係に目がいくのかも知れない。あるいは、学習や研究という同一の行為が持つ「科学としての側面」や「学問としての側面」といったような多面性を表す言葉かと思うかも知れない。「この研究は学問的には優れているが、科学的には見るべきものがない」とか、「科学的には優れているが、学問的にはもう一つ」とかいうように、実体としての区別ではなく、異なる価値判断の独立した柱として併存するものだという捉え方もあるかも知れない。少なくともこの二人の場合は古くからある学問と新興の科学とを、各々の間に微妙な差がある異なった別々の概念として捉えていたということは確かなようである。

「学問」の死語化

二〇世紀後半で研究界のサイズが彼らの時代より数十倍、一〇〇倍にも迫る拡大した現在では、確かに「学問」や「学者」という言葉は当事者の間では死語化する危機にある。ところが日本学術会議会員の任命拒否問題では憲法二三条に書かれている「学問の自由」がクローズアップされており、「学問」が死語であっては困るのである。抹香臭い言葉として「学問」を軽蔑したり、権威主義的だとして「学問」の使用を忌避したり、上から目線的だとして〝社会の付託に応える〟「学問」から逃避したり、ともかく、最早、社会のエリートでもないのだから、社会の願望が被せられた「学問」というものに関する実感がない、といったことで「学問」の死語化がこのまま進めば、「任命拒否問題」のような事態は多発する事態になるかも知れない。

「人文学・社会科学不要論」という問題発生

「学問」や「科学」の意味は定義や歴史に照らして定まるものでもない。そこで、現在の平均的用例の参考になるテキストはないものかとネットで検索していたら、文科省学術・科学技術審議会のあるサブ委員会の記録文書が目に止まった。二〇一五年頃、文科省が発出した「国立大学の組織見直しを求める通知」の中に文系学部の改組・縮小を求める内容があり、大学や学会から人文学・社会科学の不要論だとして反発が起こった。このテキストはこの反発を受けて、問題発生を整理するために発足した「人文学及び社会科学の振興に関する委員会」の公表記録の一部である。[*2] この文章からは「序　学問について」という箇条書きのテキストで始まり、「学問」、「科学」、「技術」、「哲学」、「教養」、「文化」といった言葉の連関をコンパクトに見てとれる。以下にこのテキストのあらすじを載せてあるが、適当に圧縮してあり、必ずしも原文の引用ではない。

「学問」の二つの意義

「学問の意義は、個人を超えた人類の知的認識領域の拡大、人類共有の知的財産の拡大にある。学問には2つの効用がある。第1は、生活上の便宜と利得の増大である。第2は、自分を作り上げ、確立していくこと、いわゆるBildungとしての教養であり、このような教養による人間形成を通じての社会の形成である。「科学」とは、人間が生きていくために必ずしも必要ではないけれども、人間活動の一部として大事と思われるものという意味での「文化」の一部である。これに対して「技術」とは、人間が生きていくのに必須のあらゆるものという意味での「文化」の一部である[*2]」

古代ギリシャ淵源でヨーロッパ育ちの「科学」

「「科学」と「技術」は、本来的に性質を異にする。外部のクライアントが設定した社会的、経済的目的の達成のための手段である「技術」は、人類の発祥とともに普遍的に存在した。「技術」の中には「科学」と同じ知的営為もあるが、外部のクライアントが存在せず、それ自体として自己充足的な営みである「科学」は、「技術」とは異なる淵源をもつ。「科学」の淵源として、古代ギリシャの「哲学」を挙げることができ、その特性は、自由な市民の知的探求「知を愛すること」にある。中世ヨーロッパの「哲学」では自然の理解を通じて「神の計画を知ること」が動機付けに加わり、17世紀「科学革命」の時代があった。その後の18世紀啓蒙主義の時代を経て、動機付

＊2　科学技術・学術審議会の学術研究推進部会「人文学及び社会科学の振興に関する委員会」第一二回配付資料2「「人文学及び社会科学の振興に関する委員会」における主な意見（案）——「人文学」関係」。

けは「神の計画を知ること」から「知的好奇心」になり、現代の科学となった。それは他の目的の手段ではないという古代ギリシャ以来の特性を持っている。

ヨーロッパでは、かつて全ての学問を包括する有機的なシステムとしての「哲学」という概念があったが、19世紀にはそれが完全に崩壊した上で再編成され、「個別科学」の時代へと転換した。日本では、「個別科学」の時代になってからヨーロッパの学問を取り込んだため、まさに専門分化した「科の学」としての「個別科学」を取り込んだ。これは歴史的運命による[*2]」

二〇世紀後半での変容

「20世紀の後半において、「科学」の成果を活用した「技術」の開発が活発化した。この結果、自己充足性を特性とする「科学」においても、「科学」の外部の世界においてその成果を活用するクライアントが存在するようになった。この場合のクライアントとは、軍事であり、産業である。この結果、財物としての「科学」という観点が生まれてきた。現在、「科学」には、「科学」の本来的な在り方である専ら研究者の好奇心により研究が進められるⅠ「好奇心駆動型（curiosity-driven）の科学」とは別に、産業や軍事といった外部のクライアントの目的の下で研究が進められるⅡ「使命達成型（mission-oriented）の科学」とが成立し、「科学」にはこの二つが併存している[*2]」。科学Ⅰと科学Ⅱが分離しないのは科学Ⅱの営みが科学Ⅰの知識を応用することで展開されているからである。「科学」の知識は社会価値的には中立だから、「神の計画を知ること」で見出された知識が「聖」から「俗」への社会転換を促しもするのである。

「問題発生」のポイント

こうした基礎事項を押さえた上で、「社会の意識は常に「使命達成型の科学」であり、この基準で、「好奇心駆動型の科学」が評価されてしまうところに、「科学」をめぐる最近の問題がある」[*2]としている。問題は、研究支援の合理性を測定する期間が短すぎること、知識欲を満たすための研究時間の確保、既存の価値や通説に対する「懐疑」から出発する自由が学問の原動力であり、「学問の自由」を制度的に保障する「テニュア制度」（終身在職権制度）、などが指摘されている。

本章の目的はこの「人文学、社会科学の振興策」ではないが、「社会の意識は常に「使命達成型の科学」であり」という断定には違和感がある。社会の意識にも二つの「科学」があり「好奇心駆動型」は「文化」であるが、「文化」は産業、軍事に較べて経済規模が小さく財物として差があるということだと思う。また「使命達成型」を「産業、軍事」と表現するのは舌足らずでここに少なくとも医療や交通・衛生の公共インフラは追加されるべきだと思う。

伝統学問世界の異物としての「科学」

本章の冒頭で述べた「学問」と「科学」の比較に戻ると、前述のテキストでは直接の言及はないが、学問に込められたA「知識拡大」とB「教養による人間形成」の二面のうちのAの実体としての「科学」と「技術」の比較に移行している。この二つの淵源は異なるのだが、「技術」の歴史的展開で「科学」依存の技術=科学IIが主流になったことで、従来の科学Iに科学IIが追加されたものに「科学」も変容したとされる。

ここで「科学」とは「知識拡大」の営み一般を指すのではなく、特殊な歴史的産物であると述べている。「技術」は人類文明発祥とともにあったが「学問」も人類文明発祥とともにあったものである。これら伝統学問や伝統技術は地域により中身はバラバラだが社会的機能としては同質の営みとして存在していたものである。「科学」をギリシャ淵源とわざわざ注記するのは、江戸時代の学問にとって「科学」が異物であったように、中世ヨーロッパの学問にとっても「科学」は異物だったからである。イデアの背後世界や原子論や数学などという知識拡大Aの手法において特異であったのみならず、愛知「哲学」という人間形成の視点Bにおいても特異であったのである。

憲法の「学問の自由」

今度は日本の憲法にある「学問」を見てみる。米、英、仏などの早くから民主主義国であるような国の憲法には「学問の自由」の明文規定はないようである。[*3]「表現の自由」や「良心の自由」などで学問世界の自由はカバーされているとみなされている。明文規定があるのはドイツ、イタリア、スペイン、ハンガリー、ポーランド、ポルトガル、フィンランド、スイスなどである。いずれも日本と同じく二〇世紀中葉にファッショ、ナチズム、軍国主義の政権の登場で学問世界が国家権力により蹂躙された経験を持つ国である。日本でも京大滝川事件や東大美濃部事件などの言論弾圧事件があったことをふまえて、思想・良心の自由（一九条）、信教の自由（二〇条）、表現の自由（二一条）、移動・職業選択の自由（二二条）に加えて、学問の自由（二三条）が明記されたのである。

＊3　神里彩子「科学研究規制をめぐる「学問の自由」の現代的意義と課題」『社会技術研究論文集』七巻（二〇一〇年三月）、二一一—二二一頁。

科学研究規制の根拠

「学問の自由」によって科学研究が法的に野放しにされているわけではない。研究を規制している法律は三〇以上もあるという。[*3] 生物・化学・核兵器の開発、環境破壊の産業技術、生体解剖や生殖や安楽死の医学、クローンやＥＳ細胞研究、遺伝子変換や生体移植の研究などなど、一歩誤れば人類を危機に陥れる研究が続出しているからである。こうした研究行為とその結果が公有の社会環境の健全性を保つ視点から規制されている。「研究の自由」は社会の健全性を保つというコンセンサスの下に位置するものであって、その外に屹立する絶対的なものでないという前提がある。ただ研究が未知の領域に関わっているから専門家の自主規制になるのには合理性がある。

ここで注意すべきは、規制の根拠を「社会の健全性」という研究界外に求めることになることである。自然現象の研究の場合は問題ないように思えるが、これが人文・社会的な場合となると、根拠の恣意性は明確である。実際、戦前の「事件」などでも学説が社会に有害である、日本の美風が損なわれる、治安上有害である、といった根拠で弾圧されたのである。近年、「表現の自由」をめぐる問題でも類似の問題が発生している。

日本学術会議の「軍事的安全保障に関する声明」（二〇一七年）が政府からの攻撃の原因の一つとされている。この時、一部の研究者から「学問の自由」を盾に「声明を出すのはおかしい」という意見が登場した。[*4][*5]「科学＝研究」を社会的基準で見ることは、先の人文学・社会科学不要論のように、「好奇心駆動型」科学Ⅰの営みを社会的に脆弱な立場に追いやるからである。そこで「軍事だろうが何だろうが規制反対」と「学問の自由」を絶対不可侵の原理を奉る方向になりがちである。しかし憲法はもともと社会的なものだから、「好奇心駆動型」科学Ⅰ維持の防波堤とするのは誤りであろう。

「学問＝科学＝研究」の誤り

「学問」がこういう議論に巻き込まれるのは、無意識に「学問＝科学＝研究」という等式で物事を考える「学問」の狭量な考え方からきている。直感的な言い方だが「学問の自由はどんな科学研究も認めるのか？」よりは「全ての科学研究が学問か？」という問い方が大事なように思う。すなわち、「科学＝研究」は価値中立だが、「学問」には社会的価値が込められていると。「学び問う」という行為は「聴く」や「情報伝達」という価値中立な行為と違って価値を生む行為なのである。価値ある健全な社会を構成する人間形成として「学び問う」行為があり、それを維持し

＊4　戸谷友則「学術会議声明批判」『天文月報』一一二巻一号（二〇一九年一月号）、四七頁。
＊5　池内了「軍事研究と学問の自由について――日本学術会議の声明を支持する立場から」『天文月報』一一二巻一号（二〇一九年一月号）、五五頁。

発展させる社会の仕組みの一つとして学問の世界があると。「科学の世界」は専門家の集団でもいいが、「学問の世界」は社会の全員が関わっており専門家集団の世界ではないのである。「教育の世界」にも似たことが言えるだろう。

「科学の世界」は専門家の集団であり、この集団が「学問の世界」に直結しているという見方は改めるべきであろう。研究に特化した「科学の世界」は「学問の世界」に責任を持つ集団の一つではあるがここには宗教を含む教育の専門家、芸能文化の専門家などが含まれよう。特にここには先端の科学の専門家だけでなく各国の伝統学問の専門家も入っているべきだろう。学問の「第2の効用」である人間形成で社会を構成することへの寄与を活性化すべきなのである。「学問の世界」が「科学の世界」に入れ替わったという見方ではなく、「学問の世界」が「科学の世界」の登場でどう発展してきたか？　あるいはどう危機におかれてきたか?という問いかけが大事な時期なのである。

明治に「学問の世界」の総入れ替え

日本では中国淵源の学問を引き継ぐ「学問の世界」が長く存在し、平安時代や江戸時代には日本独自の展開もあった。しかし明治期にはそれと制度的に断絶したかたちで西洋科学が国家事業として導入された。江戸の「学問の世界」と併存して西洋科学が追加されたのではなく、江戸の学問世界を担っていた人士の大半が西洋科学に鞍替えする形での「学問の世界」の転換があったのである。朱子学などの儒学の学問的素養をもつ人士がこの大転換を実行したのである。この儒学を修めて無手勝流に西洋科学にタックルした人士達の力に感服させられるとともに、東西の「学問の世界」に貫通する普遍性と独自性に興味がそそられる。また江戸時代の「学問の世界」が、科挙制度のように、行政の一環に強くは繰り込まれていない野放しの世界であったことによって、組織化された抵抗勢力が不在であったこともこの転換をスムーズにしたのであろうと想像する。和魂洋才という抵抗の姿勢も内実を伴わなかった。しかし、その代価として伝統学問世界の文化遺産としてのスピリッツは雲散霧消したのではないかと思う。[*6]

三〇年前の「学問について」

三〇年余り前、『湯川秀樹著作集』[*7]の「学問について」と銘打った巻の編集・解説の役が回っ

*6　佐藤文隆『職業としての科学』第五章「理の系譜」、第六章「知的爽快」、岩波新書、二〇一一年。

*7　『湯川秀樹著作集』岩波書店は一九八九―九〇年に発行されたが、各巻の題名と編集・解説者を以下に記す。「1 学問について（佐藤文隆）」、「2 素粒子の探究（位田正邦）」、「3 物質と時空（田中正）」、「4 科学文明と創造性（牧二郎）」、「5 平和への希求（豊田利幸）」、「6 読書と思索（小川環樹）」、「7 回想・和歌（加藤周一）」、「8 学術編Ⅰ（位田正邦）」、「9 学術Ⅱ（田中正）」、「10 欧文学術論文（谷川安孝・河辺六男）」、「別巻 対談 年譜・著作目録（渡辺慧）」。

てきた。編集とは版元のスタッフが湯川の文章を巻構成に大分けした原案をもとに選択するのであるが、私にまわってきたのは他の巻にピッタリ来ない「その他」的な文章が多く、また初期と後期のものが多かった。「解説」には当時の私の学問観を記している。

「「学問」という言葉に対して二つの受け取り方があるように思う。一つは〝学問する〟という行いを強調するもので、〝なんのため〟といえば、たぶん、人間をつくるためとなるのであろう。もう一つは〝学問＝知識の体系〟という見方である」。湯川の学問に対する考え方は年齢ととも に変わったが、結局のところ「学問とは、自分を納得さすことだ」という、〝行い〟としての学問観になったという。「「学問＝知識体系」には専門家しか関係ないが、「自分を納得さす」方法としての学問ならすべての人間に関係がある。そこでは知識の増加量が問われるよりは、それによりどう人間が研かれていったかが問われる。しかし、こうした学問観は目指すべき人間像というものが明確にある場合にのみ成立するものである」[*8]

現代の「素読」とは

学問とは自分を納得させることだといっても、納得がいかなる状態なのかは千差万別である。というよりある納得を別の知識でまた崩して新たな納得を追究するというように、学問とは学んで問い続ける状態を指すのであろう。こうした精神的態度、スピリッツとか、ガイストとか、エートスとか、精神とか、習性とか、教養とか表現される自発的な態度を身につけることには身体的訓練が必要なのではないかと思う。儒学の東アジア圏での学問を志す子弟は論語などの古典テキストを声に出して読む素読を繰り返し訓練したという。[*9] 素読は文字の読み書きを覚える手習いと違うものであった。手習いには生活上の必要のために広く庶民が参加したのに比べ、素読は学問の途への入門とされていたようである。湯川が育った小川家では祖父が孫たちに素読の修行を行わせていた。この時代での素読はもう一般的ではなかったが、明治維新期に文系理系を問わず西洋の学問の移入を成し遂げた人達はみなこの素読で汎用の精神的態度を身体化したのだと考えられる。

身体化と俯瞰性

「学び問う」の自由な展開は必然的に俯瞰的視点に発展する。専門家としての職業上の理由から個別科学の探究に特化することになるのが通例だが、自由なこのスピリッツの展開は自分の専門性の社会的意味にも及ぶであろうし、もちろん新たな専門的問いも生ずるであろう。自由で開かれたスピリッツこそが創造性と社会性を担保しているのである。ただし現代の素読は儒学の復

＊8　佐藤文隆「解説」『湯川秀樹著作集』第一巻、三二九頁。
＊9　辻本雅史『江戸の学びと思想家たち』岩波新書、二〇二一年。

唱とは限らない。初等物理学から実証的、論理的に積み上げられた現代物理学への過程を追体験する訓練も素読の一種であろう。初等物理学の真理性を鵜呑みにする感覚はその分野の玄人と素人の区別につながって来るのかもしれない。現代の科学研究は幾つかの身体化された納得地点毎に専門分野が存在するといってよいだろう。鵜呑みの妥当性は所詮はそうして生み出される成果の豊かさによって裏付けられ、あるいは鵜呑みの失敗として露呈されるのである。もちろん納得点や鵜呑みの点自体が学問の実践によって変動するし、個人差が発生するわけである。

第6章

サイエンスの日本語をめぐって

――伝統学問の位置は？

それは無意味な存在である

「以上のような学問の意義に関する諸見解、すなわち「真の実在への道」、「真の芸術への道」、「真の自然への道」、「真の神への道」、また「真の幸福への道」などが、すべてかつての幻影として滅び去ったこんにち、学問の職分とはいったいなにを意味するのであろうか。これに対するもっとも簡潔な答えは、例のトルストイによって与えられている。かれはいう、「それは無意味な存在である、なぜならそれはわれわれにとってもっとも大切な問題、すなわちわれわれはなにをなすべきか、いかにわれわれは生きるべきか、にたいしてなにごとをも答えないからである」と。学問がこの点に答えないということ、これはそれ自身としては争う余地のない事実である。問題となるのはただ、それがどのような意味で「なにごとも」答えないのか、またそれに答えないかわりにそれが、正しい問い方をするものにたいしてはなにか別のことで貢献するのではないか、ということである[*1]」

ウェーバーの価値中立

これはマックス・ウェーバーが不安定な世情の中で浮き足立つ学生達を目の前にして学問の価値中立性を説いたミュンヘンでの演説『職業としての学問』の一節である。時代は第一次大戦直後の一九一八年一一月、敗戦したドイツでは、皇帝が亡命して帝政は崩壊、左右両派の政治家が割拠し、バイエルンの分離派が入り乱れたミュンヘンは内乱状態にあった。ウェーバーがこの講演を行った前日には共産党の女性革命家ローザ・ルクセンブルクらがテロルで暗殺されるという騒然たる状況であった。若者たちは「現実の代わりに理想を、事実の代わりに世界観を、認識の代わりに体験を、専門家の代わりに全人を、教師の代わりに指導者を」と救世主を求めていたが、彼は若い学生達に「日常の仕事に帰れ」と諭すのである。学問は価値中立で「救済」なのではなく、「各自その究極の理想とするところから自分の立場をきめる上の拠り所（Punkt）を発見しうるようにするのである」[*1]。学問がなしうる実践への積極的な寄与はそこにあると考えるのである。このように科学と実践の区別と連関を鮮明にしたといえる。

前の第5章では今西錦司と桑原武夫の「学問」と「科学」の比較をみて、「この二つの差は？」

＊1　マックス・ウェーバー『職業としての学問』尾高邦雄訳、岩波文庫、一九八〇年。

という問いを発してみた。そして気になったのが、世間ではまだ健在だが、学術の専門家の間では学問は死語化しつつあることである。ところで我が国の憲法には「学問の自由」が謳われており、俳句のある季語が死語化するのとは違って、学問が死語化するのは深刻な事態である。昭和反動期の学問への弾圧という反省のうえに登場したこの憲法の条項を豊かに発展させる意識が欠如しているともいえる。「学問の自由」条項に解放の輝きを見た時代から七〇年を経た今日、学問という言葉はどこにいったのであろうか。今西や桑原のように科学と別の概念として学問を意識する時代があったのに、日本の研究者集団の学術の世界では学問という言葉の存在感は下がる一方のように見える。

再び学問と科学

学問は明治以前からの日本社会に存在していた儒学の精神をひきずるものであり、科学はいわゆるギリシャ淵源で西洋において発展したサイエンスという一つの学問の形態、手法、職業であるという対比をしてみた。今西は学問に「全体論的立場」、「世界観の把握」などをあて、桑原は学問に「当為」、「目的的」、「自己救済」、「主体性」などをあてている。当為（sollen）は生き方に関わる言葉だから、ウェーバーのように学問は「いかに生きるか」に関係ない価値中立というのは、一見矛盾することになる。拙著『職業としての科学』[*2]では価値中立な科学の遂行を支える精神性を論ずる必要があるとしているが、それが学問という概念に通じるものであろう。

英仏と独の差

ウェーバーとの比較をするには翻訳の点検が必要である。『職業としての学問』というタイトルは、ドイツ語では Wissenschaft als Beruf であり、英訳では Science as a vocation が多い。Wissen-schaft は学問のニュアンスが強いから、前述の言葉の使い方だと英訳の方がぴったりくる。ここで、同じヨーロッパでも二〇世紀初めまでは英仏と独でサイエンスに微妙な差があったことを意識する必要がある。ギリシャ淵源の種子が中世後期からゲリラ的に発展してサイエンスという新学問の構造体が姿を現したのは伊英仏であり、社会的に存在感のあるこの構造体を遅れて行政的に上から移入したのが独である。独よりさらに半世紀近く遅れて、日本も強固な構造体としてのサイエンスを外から移入した。明治維新の黒船が独ではナポレオンによる蹂躙であり、サイエンスとの出会いでの独に特異な反応をドイツロマン主義、フンボルトのホーリズム、ゲーテの現象学に見ることができる。ギリシャ淵源のサイエンスの種子は西ヨーロッパの学問界にとっても異物だったのであるが、独や日本と違ってまとまった構造体として移入されたのではなかった。サ

＊2　佐藤文隆『職業としての科学』岩波新書、二〇一一年。

イエンスの種子がガリレオ、ベーコン、ニュートン、デカルトなどによりゲリラ的に繁殖して大きな構造体に成長したのである。伝統の西洋学問はやはりギリシャ淵源でキリスト教の成長とともに定着した学問で、フィロソフィーと呼ばれていた。一八三〇年代の英国で社会的にその姿を現したサイエンスの構造体はその手法、規模、従事者の意識、産業との関わりなどの視点から、どう見てもフィロソフィーではなく、新しい名称が必要だということでサイエンス、サイエンティストという名称が新造語として登場したのである。[*2]これについては第4章で論じた。

サイエンスを語る日本語の数々

ここではサイエンスに関係した日本語を見てみよう。言葉は時代ものであるから、今西や桑原の時代は遠過ぎるので、最近の新聞にあった月一回の科学技術時評のあるテキストをもってこよう。この文章の主題は業績評価であり、漫才コンテストの話題を導入にして、途中から科学での業績評価の話に入る。「さて、アカデミズムの世界では（…）とりわけ研究の世界では、専門性によって（…）ピアレビューという仕組みで、学術は維持されてきた（…）だが最近研究の世界では、外部からの評価が増えきている。（…）つまり、仲間内で面白いと認められるだけではだめで、それが何の役に立つか、そして学問や社会の規範を守りながら研究をしているか、といった点も、しっかりと問われるようになってきた[*3]」。このコラムのキーワードである科学を加えて、ここには科学、アカデミズム、研究、学術、学問が微妙なニュアンスで使い分けられており、私の感覚とも一致する。

公用語は西周による造語の学術と技術

一定のレベルの文明、文化を築いた社会には必ず学問と技術の営みがあった。学問は学ぶという動詞的な意味であり、現実と宗教的な想像世界を言語化・文字化して論理的整合性を論ずる営みである。関与するもの同士が切磋琢磨するエートスをもった学問の集団的営みは日本にも存在していた。明治開国時、法学などの文系も含め、医学や理工学といった西洋のサイエンスに接し、西周や福沢諭吉らは、これは「観察と実行」、「知と行」のように二つの営みを合わせたものであり、福沢流には実学の性格において、それまでの日本にない営みだと直観して新しい言葉が必要と考えた。西は『エンサイクロペディア』を紹介した『百学連環』（一八七〇年）の中で、「サイエンス」と「メカニカル・アート」に各々学術と技術を訳語としてあたえた。なお「リベラル・アート」には芸術をあてている。[*4]

学術と技術はすぐに法令や行政の用語となり、例えば最初の大学令（一八七二年）には「帝国大

＊3　神里達博「月刊安心新聞」『朝日新聞』二〇二一年一二月二四日。
＊4　山本貴光『「百学連環」を読む』三省堂、二〇一六年。

学ハ国家ノ須要ニ応スル学術技芸ヲ教授シ及其蘊奥ヲ研究スルヲ目的トス」（一条）とある。一九一八年の改訂で「大学ハ国家ニ須要ナル学術ノ理論及応用ヲ教授シ並其ノ蘊奥ヲ攻究スルヲ以テ目的トシ兼テ人格ノ陶冶及国家思想ノ涵養ニ留意スヘキモノトス」（一条）と、国家主義の目的規定が明記されたが、大学の任務は学術であることには変わりない。

理科と自然

日本では学校教育の理科も学術と並ぶ古い公用語である。朱子学の理学を転じたものである。例えば、一八九一年の小学校教則大綱では「第八条　理科ハ通常ノ天然物及現象ノ観察ヲ精密ニシ其相互及人生ニ対スル関係ノ大要ヲ理解セシメ兼ネテ天然物ヲ愛スルノ心ヲ養フヲ以テ要旨トス」とある。読みようによっては文末の「天然物ヲ愛スルノ心」が目標であり、前半の諸活動はその手段ともとれる。現在の小学校理科指導要領（一九九八年告示で二〇〇八年改訂前のもの）の「目標」は、1自然に親しむ、2観察・実験などを行う、3問題解決の能力を育てる、4自然を愛する心情を育てる、5自然の事物・現象についての理解を図る、6科学的な見方や考え方を養う、の六項目を含んでおり、「愛する心」は希釈されたが留まっている。

近年の理科教育界の一部に理科と科学の違いに関した論議があり、[*5][*6] その紹介を書いたことがある。[*7]

日本の農業社会に組み込まれていた「日本人的な自然観」と「科学的な自然観」の差に注目した

ものである。農業という自然と関わる経験が国民的には消滅したにも拘らず、自然に親しむ新たな方法が自覚的に取り組まれなかったことは問題であるという藤島の指摘[*5]は貴重である。

大正サイエンスブームで科学登場

科学という言葉が日本の社会で広まるのは学術や理科よりは後のことである。科学は細分化された学問分野の意味で使われていたが、「一八九〇年には科学史を含む本格的な自然科学の概説書である木村駿吉『科学之原理』が、五年後には谷本富『科学的教育学講義』が刊行されており、現在と同様の使い方が定着したことがわかる。さらに、一九一七年に大日本文明協会が刊行した『日本の科学界』が明治時代の科学として「医学、数物学、博物学、哲学及び精神科学」の章を立てるように、科学は理系学問に限らず、西洋から輸入された学問全般をさす使われ方もされた」[*8]。このように「百科の学問」の省略語として現れた「科学」だが、その後、世間では学術より科学の方が普及する。その時期はサイエンスが、行政や専門家の間だけでなく、広く世間で話

＊5　藤島弘純『日本人はなぜ「科学」ではなく「理科」を選んだのか』築地書館、二〇〇三年。
＊6　川崎謙『神と自然の科学史』講談社選書メチエ、二〇〇五年。
＊7　佐藤文隆『科学と人間』第二章「学校教育での科学」、青土社、二〇一三年。
＊8　鈴木淳『科学技術政策』日本史リブレット100、山川出版社、二〇一〇年。

題になった時期と重なっている。それは第一次大戦前後の時期である。

一つには世界大戦の専門業界への影響があり、二つには、第10章でふれるような、科学のメタの語りが日本に上陸したことがある。欧州での第一次大戦には戦車や毒ガスなどの民生でない科学が戦争に投入され、二〇世紀に拡大する科学兵器時代の嚆矢となった。一九世紀の科学が産業を革新したように、二〇世紀の科学は戦争の様相を革新した。また戦時下の日本では、欧州からの情報や先端機器の移入が滞った影響の甚大さから、自立した科学技術力の重要性を専門家は痛感し、研究所設立ブームが始まった。

科学が国民文化に加わる

戦勝国として背伸びして欧米と並ぶ大国意識は中国侵略から敗戦への道の始まりでもあったが、大正後半から昭和初めにかけて、表向きは活気あるハイカラな時代として幕をあけた。大衆文化の興隆で雑誌発刊が相次いだが、科学は雑誌『少年倶楽部』でも重要アイテムであり、さらに『科学朝日』、『科学画報』、『科学と模型』、『模型鉄道』などの科学に特化した雑誌も多数創刊された。ラジオ、飛行機、ビタミン、進化論などは、少年少女を惹きつける新たな文化であった。[*9]それまではひと握りの高学歴者の就職先であった科学界であったが、新しくそれと並んで大衆文化の中で消費される科学が登場したのである。海外でのブームを一刻も早く取り入れた改造社は一九二二年にアインシュタインを日本に招聘して有料の講演会を各地で開催し、『アインスタイン全集』の刊行などでも成功を収めた。しかし観賞用科学の出し物には戦争物が多かった。戦争の舞台は三次元に広がっており、気象や海洋や天文の科学もみな戦争とつながって提示された。[*10]

新しい真理に輝き

一九世紀末、欧州ではサイエンスが知的世界を席巻するにつれて従来の知的勢力との軋轢も生じ、サイエンスの営みをメタ的に論ずる科学論議が必要になった。ヒューウェル、ハックスレイ、ヘルムホルツ、マッハ、ポワンカレ、プランク……こうした言説が日本で一般に紹介されるのも第一次大戦前後であった。[*11] それまでは造船、土木、電力、鉱業、鉄道、通信、農業、製薬、化学工業、兵器などの近代国家のインフラを支える専門職業の学術の世界であったが、この時期にこれら知識群を総体として捉える科学という視点が日本の社会にも登場したのである。

一九一八年発行の哲学者・田辺元による『科学概論』は日本での科学論議の嚆矢であり、二十数刷りを重ねるロングセラーとなった。「人間の目的は科学、道徳、芸術等の人文の建設が目的

＊9　佐藤文隆『歴史のなかの科学』第五章「「昭和反動」下の〝科学〟と〝科学的〟」青土社、二〇一七年。
＊10　山本義隆『近代日本150年――科学技術総戦力体制の破綻』岩波新書、二〇一八年。
＊11　本章第10章。

である。一切の行動は此目的に対する手段でなければならぬ。実際の応用を念として科学を研究するは科学研究の神髄に徹せざるものである。唯真理の愛慕に由ってするものの真に科学研究の三昧に入れるということが出来よう」という、新たな普遍主義の科学が語られた。世界を風靡したポワンカレの「科学のための科学」と軌を一にするものだが、それまでの日本のサイエンス専門家の意識は国家への貢献であったから、新たな普遍主義のサイエンスが日本にも登場したといえる。

そしてこの普遍主義の科学の広がりは自然愛好やテクノ趣味にとどまらなかった。「空想から科学へ」、「科学的共産主義」などのようにマルクス主義と同伴する唯物論、社会進歩と随伴する進化論、伝統を軽視する進歩主義、これらはみなサイエンスの興隆とともに現れた左翼的な社会思潮であり、政治行動とも一体化するものだった。歴史に客観的法則を見ようとする史的唯物論も人文学の世界を揺るがし、また科学的労務管理といった経営の合理化にも波及した。まさに科学が日本での進歩主義や政治的革新の旗印としての専門家以外の世界にもはみ出したのはこの時期であった。

拡大した意味のサイエンスが、学術でなく、科学という言葉で広まった理由はこの時期の日本の市民社会の欧米志向と関係していると思う。西周のように漢字に込められた意味などは重視せず、カタカナ語のような符牒としての言葉が流行した時期でもある。「維新」も遠くなった時代の感覚が科学の方を選んだのであろう。そしてこの科学という言葉が、それまでの専門世界の学術と技術を超えた、精神性や党派性を帯びた拡大したサイエンスであったため、法令や行政上の使用では避けられたのではないかと推察する。第二次大戦への総戦力体制の中でも、敗戦からの復興の中でも科学は救い神のように持ち出された。

科学技術

拡大したサイエンスの科学の後に第8章でもふれるように、次の大戦にむかう総動員体制のなかで新たな帝国科学としての科学技術という言葉が登場する。内外に難題をかかえて政治が停滞する中、刷新や革新を掲げる官僚や軍人が登場する。昭和一〇年代の興亜院や企画院構想の中で「科学及び技術」の再編が課題になった。文部省は省益防衛で「基礎に属する科学は含まぬこととしたし」と抵抗したこともあり、新体制では科学技術という言葉が使われ、これは敗戦を跨いだ戦後の原子力などの国家戦略と絡んだ科学技術庁へと連なっていく。ここで伝統技術でなくサイエンスを基礎にした技術という意味なら学術技術でもよかったわけだが科学技術になったのは、左右いずれの政治勢力にせよ科学という言葉が持つ革新的イメージをむしろ持ち込みたかったのかもしれない。二〇世紀末の行政改革で文部省と科学技術庁が統合された際に文部科学技術省では長いので文部科学省と科学が滑り込んだ。科学技術という言葉には、特殊な技術という意味で形容詞的に科学がついていると解釈すれば、伝統技術が衰退して科学技術一色になった現在では、科学は外しても良いのかもしれない。

学問の自由

第5章で述べたように現在の法令や行政では学問が登場しているのは憲法の「学問の自由」条項だけのようである。新憲法制定時、マッカーサー草案では「大学における教育および研究の自由」(freedom of academic teaching, study) となっていて、翻訳は「学究上ノ自由」、「研学ノ自由」とかであり、戦前の政府の弾圧事件反省と直結した表現であったが、憲法改正草案では「学問ノ自由」に変わって憲法二三条となった。弾圧事件への反省よりは漠然とした広い意味になった。[*12]

現在この条文の解釈としては、個人の人権としての学問の自由を保障することであり、それを担保するものとして「大学の自治」を保障し、それは学問研究の自由、研究発表の自由、教授の自由の三つを含むとされる。例えば新憲法の国会審議では、担当の金森徳次郎国務大臣の答弁には次のようなものがある。「学問それ自体を狙って居ります。それが大学教授がやられようと道端の乞食がやろうと、一つもその観念に於ては区別いたして居りませぬ」、「学問と云うものは、人間の個性を完全に発揮せしめまして、更に進んで人類全般の発達に貢献するものでありまして、この自由を制限することは独り個人を圧迫すると云う不都合を侵すのみならず、人類の発達そのものを防遏する、抑制すると云う不都合な結果になるものでありますが故に、この点に於きましては十分その自由を保障する必要がある」。また田中耕太郎文部大臣も、「学問の自由は、大学のみに関係するか」との質問に、「大学が重要な部分を占める」としつつも必ずしも大学に限るものではなく「学問の研究が政治的、行政的の、或は又宗派的な束縛から解放されなければならないと云う意味を持って居るものと存じて居る」と答えている。ここの学問は大学や学術界に限られるものではなく社会一般の中での学問であると強調されている。*12

科学を丸呑みした日本

学問という言葉が現在の日本でどういう位置にあるのかを問題にしたいのは、本書の主題である西洋の歴史を背負って誕生した西洋科学の普遍性と特殊性に関連してである。西洋科学というパッケージを解体してバラ売りになったとして、異なった社会の歴史を背負う中国やアラブ諸国はバラ売りのどれとどれを買うのだろう？といった二一世紀的発想の関心からである。西洋科学移入の先輩である日本はこの大きな構造体としての科学のパッケージはばらせないものであると判断して、伝統の学問との接続など考えずに丸呑みしなければと思った。

外国人教師としてながく日本にとどまった医学者ベルツは「日本国民は、10年にもならぬ前ま

*12　片山等「「学問の自由」、「大学の自治」と大学内部の法関係（1）」『比較法制研究（国士舘大学）』第二七号（二〇〇四）、一―二八頁。

で封建制度や教会、僧院、同業組合などの組織をもつわれわれの中世騎士時代の文化状態にあったのが、一気にわれわれヨーロッパの文化発展に要した500年あまりの期間を飛び越えて、19世紀の全ての成果を即座に、自分のものにしようとしている」[*13]と、欧州での科学誕生までの長い精神革命をスキップしていることへの違和感を表明している。

この速成が起こった要因として福沢諭吉は日本の宗教や学問の精神世界に強力な権威が存在していなかったことを挙げている。「幸いにして我が国の上等社会には、その（精神世界への）惑溺はなはだ少なし」[*14]であったという。仏教と儒教の二派は言い争って共に威信に欠け、大転換に対して組織だった抵抗はなかった。また日本人には「理」より「事実」重視の志向があり、科学移入の性格を特徴づけたともいえる。[*15]

西洋科学と近代の人間像

ギリシャ淵源の種子が西洋で大きく科学に発展した理由として私はA世界観、B技術、C近代（個人、人権、民主主義、資本主義など）の三位一体説を唱えている。古代の中国やアラブはかつてBでは西洋に優っていたのに科学が生まれなかったのは、AとBを結びつけるCがなかったからだという見方である。人々の自発性、能動性、積極性を引き出す社会的要因がCなのである。西洋科学は伝統学問の主力だった宗教勢力に寄生しながら、メカニカルな技術界と連携して、人倫の学を外して学問を拡大させたのである。[*16] こうした西洋歴史上の産物であるにも拘らず、科学の誕生が非歴史的な普遍性の文脈で語られるのは再考を要すると考える。

現在、先進国ではどこでも、経済グローバル化や業務のＡＩ化の中で雇用転換の教育改革が叫ばれている。そんな中で米英の科学教育改革には STEM（science-technology-engineering-mathematics）という新語が登場し、最近は STEAM（STE-art-M）に変異している。確かに環境問題への対応や情報科学が主導するハイテク世界に向けた科学教育改善の努力としては工夫がなされていると思うが、大きく振り返って見れば、何か科学技術の力に人間の方を合わせる対応を強いられている光景が見えてくる。西洋近代の人間像は確かにこの力に順応しやすいのかもしれない。資本主義は絶えず「煽りの文化」を必要としており、そのイノベーションに科学が動員されているのである。

もう三〇年近く前になるが、「煽りの文化、鎮めの文化」としての科学を論じたことがある。[*17] サイエンスを統御する学問が必要になっているのである。北野の天満宮にでも詣でて「学問の神様」に伺いを立ててみたい心境である。人々が学問に託した願いを知りたいものである。

＊13　トク・ベルツ編『ベルツの日記』菅沼龍太郎訳、岩波文庫、一九七九年。
＊14　山住正己編『福沢諭吉教育論集』岩波文庫、一九九一年。
＊15　佐藤文隆『科学者には世界はこう見える』第七章「「医は仁術」展」青土社、二〇一四年。
＊16　佐藤文隆『「メカニクス」の科学論』第三章「メカニクスの下剋上――〝働く学問〟へ」青土社、二〇二〇年。
＊17　佐藤文隆『科学と幸福』第二章「ＳＳＣのかげ――煽りの文化、鎮めの文化」岩波書店、一九九五年。

Ⅲ　科学と国民教育

近代国民国家の教育制度に科学がどう関わるかは自明ではなく、一九世紀から二〇世紀にかけ、新参者として国民の前に現れた科学は社会との対話が求められるようなった。第７章では統一科学とマッハの理想について拙論述べた。第８章では大森貝塚の実物科学から大正期には理念としてメタ科学の移入の時期に入りマルクス主義の過剰な受容をみた。戦時下となったその後の帝国科学へ慌ただしい対処が昭和末期のモノづくり世界制覇につながる糸をたぐってみた。第９章では日本のこの「世界制覇」の後に到来した情報ビジネスでの「失われた三〇年」とその背後で連動した高校物理教科の凋落の関係と日本で数学の捉え方の偏見に見る思いを述べた。

第７章

ウィーン学団「統一科学」の八〇年後

——マッハの初心とは？

シンポジウム「統一科学の夢はどうなったか」

「なぜかおぞましい響きをもつ「統一科学」という言葉を久しぶりに聞いて筆者が物理学に志した1950年代後半を思い出した。物理学の先導する〝力強い〟諸科学のオンパレードが社会に夢を紡いだ華やいだ時代である。そしてその震源地が物理学にあったことは誰の眼にも明らかである。それに引き換え現在は科学技術基本法で研究費が一部に不正に隠しきれないほど沢山供給されているのに、投資家はいざ知らず、社会に夢を紡ぐ華やかさはおこらず、若者の理系離れの声がさけばれている。筆者はこの事態を科学のステークホルダーの多様性が失われた貧相な状態が露呈されていると考えている。

科学がこのような文脈で時代に押し流されている状況にあるときに、この「科学における存在と還元――統一科学の夢はどうなったか」という反時代的なテーマに接したことは、いささかの新鮮な驚きをもつと同時にいささか腹立たしさを感じたのも事実である。しかし、少数者を自認する学会の独自性はこういうところにあるのかも知れないと考え参加した[*1]」

これは二〇〇六年六月の科学基礎論学会の例会で企画されたシンポジウム[*2]に招待されて行った講演の後にこの学会の機関誌に書いた文章の冒頭である。

「アインシュタインの相対論の衝撃に刺激されて唱えられた物理学を集結点とする論理実証主義の統一科学の旗が掲げられたという歴史を小耳にはさむが、現時点でのこの課題の意図の正確な認識は私にはない。しかし何れにせよ筆者は物理学の立場からこの課題に発言することが期待されていると理解する」として、私の「二十世紀の物理学のとらえかた」「量子力学をめぐって起った新潮流」「対象と概念」について意見を述べ、最後に司会者の提起した設問への短い「回答」を記した。[*1]当時、歴史上の「統一科学」なる運動については漠然とした知識しかなく、そういう専門家の前での話としては筋違いだったかもしれない。

「世界物理年」

なぜこの時期にこのシンポジウムが企画されたかは詳らかにしないが、想像するにアインシュ

＊1　佐藤文隆「物理学はなぜ統一科学になれなかったのか」『科学基礎論研究』科学基礎論学会発行、二〇〇七年三月。

＊2　科学基礎論学会は年二回定例の会合を開催している。このシンポジウムは電気通信大学を会場に二〇〇六年六月一七―一八日に開かれ、一七日一四時三〇分―一七時四五分にこのシンポジウムがあった。司会者は信原幸弘、提題者は戸田山和久、佐藤文隆、月本洋。司会者から事前に設問が提示されていた。

タインのミラクル年（一九〇五年）から一〇〇年記念の「世界物理年」が関係すると推測する。ユネスコ・国連総会が決議した「国際年」の科学版としては最初のもので国際的にも大きく盛り上がり、その後科学テーマでの「国際年」が次々と行われるようになった。私はこの「世界物理年」の一年あまりに二回の海外を含む三十数回もの講演などを行っている。[*3] そうした中で、科学基礎論学会としても「アインシュタインについて語るならその衝撃の一つとしてあった一九二〇―三〇年代の「統一科学」運動についても語ろう」となったと推察する。少なくとも私はこの「世界物理年」の一環と理解してこのシンポジウムへの誘いを引き受けた。

「世界物理年」の私の講演で定式化したのは、「力強い科学のアインシュタイン」「宇宙ロマンのアインシュタイン」「革命の人アインシュタイン」「ハイテクのアインシュタイン」という「アインシュタインの四つの顔」であった。先の三つには雑誌『TIME』のカバーストーリーになった図柄を使った。順に原爆と一緒の一九四六年、生誕一〇〇年の一九七九年、「世紀の人」選定の一九九九年のものである。最後の「ハイテク」には米物理学会広報紙に載った漫画を利用した。[*4]

内部的な統一性と外部的な多様性

この時の講演は科学技術の学会講演から自治体の市民講座まで多種多様であったが、どこでも強調したのは物理学の多様性である。多様というのは社会から見て一貫していないことであるが、その反面、物理学は統一性を真髄としている。ましてやアインシュタインのような巨匠の成果には一貫した思想性が語られる場合が多い。この内部的な統一性と外部的な多様性は現代の科学を読み解く際の一つのキーポイントある。多様とは社会の多様性のことであって、科学が社会の隅々まで普及した結果生じている関係性における多様性の現状を浮かび上がらせている。しかしこの見方は「科学が先導して社会を導いていく」とか「物理学の統一性のような科学の原理が社会に浸み出して社会が科学化される」という科学に対するある種の期待に否定的な回答となっている。多様性とは異なる原動力で動くものがどう相互作用するかという課題なのである。

＊3　ＷＹＰは世界物理年（World Year of Physics）の略記。2005/1/1 朝日新聞ＷＹＰ対談（高村薫）、1/5 読売新聞科学部長インタビュー、1/20 レーザー学会（けいはんなプラザ）、3/25 日本物理学会相対論シンポ、3/27 日本物理学会科学史シンポ（東京理科大）、4/14 関西医大教養部、4/19 韓国物理学会ＷＹＰ（韓国清州市忠北大学）、5/23 大阪産業大学、6/16 JSPS Japan Science Forum（Washington DC）、6/25 甲南大総合研、6/29 KSI-WYP（京大基研）、7/29 尼崎市老人大学、7/23 日本物理学会九州支部、7/31 けいはんなフォーラム、8/9 飛騨アカデミー（古川市）、8/20 甲南大ＷＹＰ、9/11 日本物理学会大阪支部、9/18 和歌山大社会教育センター、9/19 日本物理学会（同志社大田辺）、10/9 日本天文学会（札幌市国際ホール）、10/15 ＷＹＰ秋の全国イヴェント（タワーホール船堀）、11/12 日独文化研、11/13 光科学館（木津町）、11/14 滝高校（江南市）、11/19 愛知大学、11/26 御茶ノ水大学、12/11 西はりま天文台、2006/1/22 平成基礎科学財団（富山市）。

＊4　「四つの顔」の図柄は佐藤『佐藤文隆先生の量子論——干渉実験・量子もつれ・解釈問題』（講談社ブルーバックス、二〇一七年）の終章に掲載している。

「統一科学」の八〇年後

「シンポジウム」の三人の提題者のうち他の二人は科学基礎論の方であり、私だけが物理学の現場を経験してきた者である。かつて現場の科学と一体の中で誕生した統一科学運動が八〇年ほど経てどうなったのかは、科学論内部と科学現場からとで異なって見えるのは当然であり、それが「反時代的なテーマに接した」という印象になるのである。こうしたある種の苛立ちは極めて個人的な来歴からくるものであったとも言える。一つは科学と社会の関係に関わることであり、二つには物理学のアイデンティティ喪失（「量子力学をめぐって起った新潮流」を指す）に関わることである。この本題にいく前に一九二〇―三〇年代にウィーンを中心とした中央ヨーロッパの科学者たちが立ち上げた「統一科学」運動なるものを見ておこう。

「科学的世界理解」にむけた「ウィーン学団」

第一次大戦の戦後からナチスが政権につく一九三〇年代までの間、ウィーンを中心に、科学の哲学を目指す哲学者と科学者たちのサークルが形成されウィーン学団と呼ばれた。一九〇七年ぐらいからその前身はあり、科学を感覚的観察の省略的記述とするマッハの経験主義と、認識にはアプリオリな要素があるとするカントの立場をいかに折り合わせるかが目的であり、モーリック・シュリック（1882-1936）とルドルフ・カルナップ（1891-1970）が学団設立の中心メンバーであった。「学団のいわば対外的デビューと言うべきものは、1929年9月15日から17日にエルンストマッハ協会とベルリン経験哲学協会との共催でプラハで開催された「第一回厳密科学の認識論国際会議」である。その1カ月前に学団の紹介パンフレット「科学的世界理解」が出版された。この文書はヒューム以降の経験主義、ウィーンのリベラルな文化的風潮の下でのマッハやボルツマンらの科学的哲学、そしてフレーゲやラッセルの新しい論理学などの背景のもとに学団を位置づけ、科学的世界理解という立場を紹介したものである。それは論理分析を道具とする経験主義的、実証主義的な基本姿勢、研究法により特徴づけられ、（科学理論を統合する体系ではなく、科学的成果の関連付け、科学活動の協力・連携の推進といった意味での）統一科学を目標とするとされている。伝統的哲学は批判され、経験科学の外や上にある基礎的学問としての哲学が否定されている」。[*5]

科学を文化世界へ

時代背景としては一九世紀から二〇世紀初頭にかけての物理学と数学の厳密科学の位置付けを

＊5　蟹池陽一「VI　ウィーン学団とカルナップ」飯田隆責任編集『哲学の歴史　第11巻　20世紀II　論理・数学・言語』中央公論新社、二〇〇七年。

めぐるマッハ、ボルツマン、ポアンカレ、デュエム、ヒルベルト、ヘルムホルツ、アインシュタイン、ボーア、さらに論理学のラッセル、フレーゲ、ウィトゲンシュタインなどの考察と言説がある。さらにこうした学問世界内の動向に加えて、オーストリアの成人教育改革運動やそれに関連する社会民主主義的な社会活動などの当時のウィーンのリベラルな文化的政治的風潮も重要な要素であった。個別科学の進展がもたらす知識や探究の手法などを科学専門家以外の一般の人々にも語りかけて広めることが社会改良に寄与するという科学がもつ新たな可能性への期待があったのである。統一科学が掲げた「科学的世界理解」という課題には多くの人々の生き方や価値観にもかからむハートフルな内容が期待されていたのだと思う。

しかし今日からこの学団の人脈や成果を振り返ると二つの急峻な山が遠望される。一つは、ラッセルのパラドックスや果てはゲーデルの不完全性定理のような、数学的に厳密化された言語論、記号論理学や証明論を生み出すのに連なったことである。そして二つには、ナチス政権登場での米英への関係者の亡命によって、第二次大戦後の英米科学哲学の発祥につながったことである。一口に言って、こうした論理実証主義や論理哲学といった科学論議は科学の社会性・歴史性を排除したものである。あまたの言説を科学と非科学に選別する検閲官を任ずるスタンスで、かつ如何なる原理からも中立であろうとするから高度に抽象的になる。記号論理学や英米科学哲学は人間の血を通わせないことを基準にするような合理的理性の独壇場に部外者にはみえる。一般には近寄り難い領域であり、ハートフルな社会改良の初心とは明らかに齟齬がある。

マッハの目指したもの？

私にとってマッハの精神とはこうした厳密に科学と非科学の選別をする検閲官のような役回りではなく、自由で民主的な社会を創造する明るい展望をもつものである。マッハはまだ社会的影響力をもっていた根拠のない伝統的な言説を鋭く批判することで知的な若年層に大きな影響を与えた。「バイ菌を取り除く」ように、誤りを糺すこと自体が「解放」の明るい展望であった時代だ。ただ「誤り」が徐々になくなった社会になるとそのこと自体の意味は薄れてくる。もう幽霊がいない社会ではそれを信じることを批判しても響かない。そこで新たな「展望」を支える個別科学の話題が必要だが、それはまとめて語れるものではなく、排除する検閲の役が目立ってくる。誤りを糺すことは必要条件だが、それだけでは十分でない。マッハ協会、ウィーン学団、統一科学などの旗印には、「誤りを糺す」だけでなく、科学による明るい社会の建設という理想主義運動の一面があったと推察する。だが結果としては論理実証主義などの新たな哲学を生み出す契機となったが、初心の社会運動においては見るべき成果が残せなかったということなのではないだろうか。

マッハに贈られた科学史講座の初心

マッハゆかりのウィーン大学の講座に着任したシュリックは早速マッハの精神を社会改良に活かそうという趣旨のマッハ協会を一九二八年に結成した。「世紀末」科学者の中でマッハの特異なところは、著作や講演によって広い知識層に科学が従来の学問とどう違うかを語りかけて、「一九世紀のガリレオ」よろしく人気を博したことである。力学の発達史から始まる一連の著作は何回も版を重ね改訂された。ウィーン大学の科学史の講座はある資産家がマッハを迎え入れるために寄付したものであった。就任後マッハが体調を崩して退いた後にはボルツマンがその席に着いたりしてシュリックにつながる。

統一科学の初心にこの社会改良が織りこまれていたことは一八世紀フランスの啓蒙主義に因んだ新「百科全書」の刊行が計画されたことからもわかる。[*5] 非科学的言説を排除する厳密な哲学論議と相補的に個別科学の豊かな内容を提示する二つの柱が構想されていたのであろう。しかしその後の政治情勢や結集した科学者の性向を反映して個別科学を超越して、論理や表現手段としての言語論に深化していった訳である。二〇世紀における哲学の言語学的転換などと呼ばれる情報科学や認知科学の展開にも結びつく壮大な進展の揺り籠としてウィーン学団が語られるが、この赫赫たる成果の陰にあったもう一つの初心の不発が気になるのである。八〇年後の統一科学をテーマにしたシンポジウムでも、科学基礎論の専門家は「赫赫たる成果」の事績を語り、私は「不発の初心」が気になっていたのである。

「おぞましい」、「反時代的」

それにしても招待されて出ていって「このテーマは〝おぞましく、反時代的〟だ」というのはいささか非礼だったかもしれない。「統一」の字面からうけた「おぞましい」という感じは原理や基礎への志向は安易に多様性をもぎ取って統一や還元を行う暴力的な行為として現実化するからである。また「反時代的」とは、二〇世紀後半の二大陣営の対立があたかも二つの選択肢に集約されてその克服が最終解決への道筋であるかのごとく夢想された冷戦期がソ連崩壊で終焉して世界がカオスに放り込まれ、全てが多様性の受容に躍起になっている二一世紀の初頭に「統一」がいかにも反時代的だという意味である。

ただし先の解説[*5]にもあるように「統一科学」は「科学理論を統合する体系ではなく科学的成果の関連付け、科学活動の協力連携の推進といった意味での統一科学を目標とするとされている」ということであり、英語ではだいたい unity of sciences と書かれているものが多く、還元の意味での統一ではなく、個別科学の対等な連合というニュアンスにもとれる。個別科学に共通するメタ理論が科学の哲学に残された領域であるとして言語や論理の厳密化や記号化の学問形成に繋がったが、当初の運動のスコープには物理学での革新的成功のような進展が諸科学におよび、ひいては社会改良にも貢献するという広い期待が前提にあったと推察する。

敗戦直後の「科学的」とその後

そしてこうした科学への期待は敗戦直後の日本でも盛んに語られたことであり、それが自分の科学への初心にも重なるのである。当時「迷信を排除して科学的に考える」の矢面に立たされたのは戦時中の神話教育や精神主義であった。「経験科学の外や上にある基礎的学問としての哲学が否定」されるとはこういうことである。戦争末期の狂気じみた精神主義の憑きものから覚めて正気に戻った感覚にこうしたフレーズはぴったりと嵌まり、経験主義、実証主義、論理・言語の明証性といった禁欲的で冷静なスタンスが科学的の通底奏音となり、「科学的」とは「批判的」の意味に解されるようになった。

ところが間もなくそれは「バイ菌は取り除けるが、何も生み出さない」と批判される立場に落ちていった。「万年野党」というフレーズもその流れである。そして「生み出す」には上気や興奮、飛躍や陶酔、瞑想や狂気、といった「経験科学外のもの」、「伝説や神話」、「芸術や芸能」のようなものが必要だと言われ出している。すなわち宗教でも歴史上「煽りの文化、鎮めの文化」があったように、科学においても「煽りの科学、鎮めの科学」の二つが必要だということかもしれない。[*6][*7]

「科学的」の運命

さきのコロナ禍の中でも「科学的」という言葉はしばしば登場したが、これは疫学という制度科学の専門知識に従ってという意味であり、敗戦直後のような真理を賭けた強い意味ではない。「餅は餅屋」のように経験のある専門家の知識という意味であり、政治的思惑の混入を批判する言辞にとどまっている。制度科学以外の意味で「科学的」があまり語られなくなったのは、一時期猛威を振るった「科学的」が同時にそれに対抗する「現実は「科学的」では割り切れない」という心情を人々に植え付けたからである。あたかも「科学的」は心に配慮しないものだとの印象をのこした。理性の正義の名のもとの悲惨な歴史もある。社会改良のため「科学が社会に浸み出す」というテーゼとは逆に、「科学的」は次第に制度科学や職業としての科学に隔離されていったといえる。これは第10章で論ずる「プランクのマッハ批判」やトマス・クーンのパラダイム論が広がりをもってきた流れとも軌を一にしている。

＊6　大村英昭「社会現象としての宗教——宗教は鎮めの文化装置」『岩波講座　転換期における人間』第九巻、一九九〇年。
＊7　佐藤文隆『科学と幸福』第二章、岩波現代文庫、二〇〇〇年。

啓蒙主義への反発

「科学的」というものが自然研究以外の世界に適用された場合の反発を記した一節をアイザイア・バーリンの『バーリン　ロマン主義講義』[*8]から引用する。一八世紀啓蒙家ヴォルテールに反発する同時代人のハーマンなる人物の言説を紹介したものである。

「科学は、人間社会に適用されるならば、一種恐るべき官僚化に通ずるであろう、と彼（ハーマン）は考えた。彼は、科学者、官僚、物事を整然とする人々、流暢なルター派の聖職者、理神論者、誰であれものを箱の中にしまい込もうとする人々、誰であれあるものと他のものを同じにしようとし、たとえば、創造とは自然の提供するデータの獲得であり、そして、何らか満足のいくパターンにおけるデータの再編成と実際におなじである、と証明しようと欲する人々に反対したのであった――他方ハーマンにとっては、もちろん、創造とはもっとも言い表しえず、叙述しえず、分析しえない人格的な行為であって、それによって人間は自然の上に自らの刻印を押し自らの意思を高揚させ、自らの言葉を語り、自らのうちにあり、どんな種類の障害をも許さないであろうことを表明しているのであった。それ故、啓蒙の理論全体は、人間のうちに生きているものを殺し、人間の創造的エネルギー、諸感覚の豊かな世界全体に代えて、か弱い代替物を持ち出していると彼には思われた。そして、このような感覚世界なしには、人間が生き、食べ、飲み、喜び、他の人と会い、人々が消えてしまい、死んでしまわないために不可欠な無数の行為に耽ることは不可能なのである。彼には、啓蒙思想はこのことに重点をおいていない、啓蒙思想家によって描き出された人間は、「経済人」でないとすれば、少なくともある種の人工的な玩具、ある種の生命を欠いた模型であって、ハーマンが出会い、日常生活の中で交際したいと思う種類の人々とはまったく関係ない、と思われた[*8]」

対抗心としてのロマン主義

「科学者、官僚、物事を整然とする人々、流暢なルター派の聖職者、理神論者」という括り方や「物事をちゃんと分析して、合理的に考えて、真面目に答えを出していこう」への反発の表現は含蓄に富む。この本は近代ロマン主義が主題であるが、その感情を掻き立てた反面教師として啓蒙主義と科学が登場するのである。啓蒙主義も科学もロマン主義も西洋社会が「聖から俗」に移行する時代に噴出したものである。血塗られたフランス革命がフランス啓蒙主義と重ねられてイメージダウンした後の反動、復古として近代ロマン主義があったとされる。この文章はそれ以前の人物に関したものだが、その萌芽を見ることができる。科学基礎論もこうした反科学を視野

＊8　アイザイア・バーリン『バーリン　ロマン主義講義』田中治男訳、岩波書店、二〇〇〇年。

に入れる必要があろう。

バーリンは啓蒙主義の三原則（問題には答えがある、万人が理解できる、答えは相互に矛盾がない）を掲げている。第二と第三は民主主義と科学にも共通するものだが、第一はキリスト教の真理観を引きずっているとしている。この真理観だとそれを知る聖人や賢人や前衛党や専門家に任せることになる。これは「科学的」を考える場合の最大の論点である。啓蒙主義は西洋近代化の歴史の中では不可欠の要素だが非西洋社会の近代化では必ずしもパラレルではない。近代ロマン主義の歴史も他の文化圏でパラレルに起こったわけではない。制度科学は普遍的でも、「科学的」とそこの伝統文化との葛藤とマッチングは異なる様相を呈するのである。啓蒙、科学、ロマン、さらに自然といったものの普遍性と地域や伝統による多様な変容に考察を広げる必要があるようである。近代啓蒙主義とその優等生としての西洋科学に一体化されていたパッケージが緩んで各々のパーツが異なった歴史の地域の中で異なった展開を示していく可能性があるのである。

実学としての哲学の課題

二〇〇六年のシンポジウムでのいささか失礼な態度を反省していたが、それも忘れた頃の二〇一四年に科学基礎論学会から再び招待された。今度は学会六〇周年記念の「科学基礎論の過去・現在・未来」というシンポジウムである[*9]。六〇年祝賀に合わせてこの時は行儀よく量子力学の基礎の考察が量子情報というテクノロジーを生み出しつつある科学技術の動向を紹介し、科学基礎論も大事だという無難な話をした。もしかしたら、企画者は二〇〇六年の挑発的な態度を覚えていて、マッハの初心という自己流の統一科学の解釈の続篇を期待されたのかもしれないが。そのとき三人の発題者の一人であった安西祐一郎が中教審に関わっての感想として、学校教育は政争の舞台にされ易いが、本来は人間を論ずる哲学の実学であるべきだと説得的に語られた。権威主義的知識世界が崩壊し、知的情報のメディアが激変するなか、反知性主義、反啓蒙主義への新たな対話的対応が二一世紀の諸学に要請されているといえる。

＊9　六〇周年記念シンポジウム「科学基礎論の過去・現在・未来」講演（二〇一四年六月一四日一四時三〇分―一七時四五分）吉田夏彦、佐藤文隆、安西祐一郎、座談会：古田智久、西脇与作、飯田隆。

第8章

大森貝塚・帝国科学・「縄文右翼」

――学問世界と科学の対話

エドワード・モース

「1877年10月6日、土曜日。今夜私は大学の大広間で、進化論に関する三講の第一講をやった。教授数名、彼らの夫人、並びに五百人乃至六百人の学生が来て、殆んど全部がノートをとっていた。これは実に興味があるとともに、張りあいのある光景だった。演壇は大きくて前に手すりがあり、座席は主要な床に並べられ、階段のように広間の側壁へ高くなっている。佳良な黒板が1枚準備されてあった他に、演壇の右手には小さな円卓が置かれ、その上にはお盆が2つ、その1つには外国人たる私のために水を満たした水差しが、他の1つには日本における演説者の習慣的飲料たる、湯気の出る茶をいれた土瓶が載っていたが、生理的にいうと、後者の方が、冷水よりは喉に良いであろう。

聴衆は極めて興味を持ったらしく思われ、そして米国でよくあったように宗教的の偏見に衝突することなしに、ダーウィンの理論を説明するのは誠に愉快だった。講演を終わった瞬間に素晴らしい神経質な拍手が起こり、私は頬の熱するのを覚えた。日本人の教授の1人が私に、これが日本におけるダーウィン説あるいは進化論の、最初の講義だといった。私は興味を持って他の講義の日を待っている。要点を説明する事物を持っているからである。もっとも日本人は電光のように速く、私の黒板画を解釈するが……」[*1]

モースと大森貝塚

大森貝塚の発見で名高いモースの日本滞在日記『日本その日その日』[*1]の一節である。米国ボストンあたりを本拠とする動物学者のモースは日本での研究の指導のみならず、三回にもわたる来日で大の親日家になり日米交流にも長く貢献した人物である。筆まめで挿絵入りの大部な日本滞在の日記を記しており、冒頭の文章はその一節である。

これを引用したのは後半の「米国でよくあったように宗教的の偏見に衝突することなしに、ダーウィンの理論を説明するのは誠に愉快だった」の箇所で同じ学説への社会的反応が欧米と日本で違っていたことを感慨を込めて記しているからである。普遍的とされる科学の歴史、文化の異なる地域での繋がり方という観点から目に止まった。それにしても、この一節の前後での、文物全般の描写の細やかさには鬼才を感じる。

＊1　エドワード・S・モース『日本その日その日』石川欣一訳、講談社学術文庫、二〇一三年。これは『日本その日その日』（全三巻）東洋文庫、平凡社、一九七七年の簡略版。

大森貝塚と考古学

モースが貝塚を発見したのもこの一八七七年であり、開通五年目の横浜から新橋に向かう列車の車窓の光景から直感した発見である。鉄道建設の掘削工事で露出した貝塚跡なので多くの人間が見ていたわけであるが、日本では誰もこれを古代人の生活と結びつける視点がなかったのである。一八七九年には調査報告書[*2]も完成、雑誌 *Nature* にも短い報告を投稿している。その後の研究でこれは縄文時代後期、紀元前六五〇年頃の遺跡と推定されている。江戸時代までも、地中から土器や石器がときどき現れて不思議がられたことはあったらしいが、それを過去の歴史の痕跡と捉える考古学につながる学問の流れは当時の日本では皆無であった。モースは考古学の専門家ではなく生きた腕足類動物の研究者で、最初日本に来たのはシャミセンガイなどの日本特有の腕足類の標本採取のためであった。このときに新設の東京大学での動物学教授職のオファーを受け、一度帰って再来日して大森貝塚の発掘調査を続行した。学生等を指導して本格的な報告書にまとめ、日本の考古学の開祖と位置付けられるようになったわけである。

「教科書に載っている」大森貝塚

ネットで見ると、歴史ブームのせいか、健康ブームのせいか、退職者が増えたせいか、大森貝塚跡地を訪れる人が増えているようである。そして「教科書に載っている」を枕詞に付けて大森貝塚を表現し、まさに国民的一体感に浸る気持ちがみてとれる。私も教科書で接したモースの大森貝塚は少年時代の記憶に重なる。終戦が小学二年であったから、新教科書に接したのは小学五、六年頃だろうか。時代は東京復興の木材需要と食糧増産のために村はずれの林が伐採され開墾が進んでいたが、「教科書に載っている」考古学の眼で見ることを知った子供たちはそこに土器や石器やヤジリを発見したのである。「縄文」、「弥生」、「石器」などは暗記ものでなく、まさに体力を使って学んだ、身体に沁み込む知識であった。かつて子供が科学に目覚める理科アイテムとして天文、昆虫、ラジオ、恐竜・化石、土器・石器などがあったわけだが、東北の田舎少年には「土器」は実感のあるものだった。そこに降って湧いたのが一九五四年のビキニ事件であり、理科アイテムは「放射能」、「原水爆」、「原子力」、「原子核・素粒子」などに一変して新たな世界にわけ入ることになったのである。

＊2　E・S・モース『大森貝塚』近藤義郎・佐原真編訳、岩波文庫、一九八三年。

戦後、地面を掘り返して太古の生活に出会う場面は一九六〇年代からの列島改造ブームの中で多発した。開発と調査・保存を両立させるために埋蔵文化財センターという組織が自治体に出来て、開発主導で各地で行われた考古学発掘は吉野ヶ里遺跡や山内円山遺跡などの日本の歴史を書き換えるような大きな発見をもたらした。また放射線による年代測定やDNAシークエンスによる系統分析などのハイテク技術も加わって、考古学はまさに子供たちが学問に触れる重要な導入口でもあり、地域学習とも関連する学校教育の現場でも人気の理科アイテムになった。

教科書から「縄文」が消滅！

ところが、一時期、この子供にも人気の理科アイテムが教科書から消えたことはあまり知られていない。一九九八年の文部省の学習指導要領改訂によって、旧石器時代や縄文時代（新石器時代）が小学校教科書から消えたのである。学会や自治体などの働きかけで、二〇〇八年には復活したらしいが、扱いは減っているようである。日本の歴史はいきなり「米づくりの始まりとくにの統一」といった形で弥生時代からはじまることになる。ここから始めると自然と人間、多様な日本列島などへの気付きがスキップされ、いきなり「くにの統一」という天皇家の物語が始まる。稲作で文明化する以前の野蛮な原始時代について語る必要はないとの見方になる。

事件ともいえるこの指導要領改訂の時期は、冷戦終結後に問われ出した日本の戦争責任についての村山談話や河野談話が「保守派」を刺激して、現在に続く歴史教科書問題がクローズアップされた時期である。実際、第一期の安倍政権では、憲法改正の前哨戦ともいえる、教育基本法の改定を電光石火に行ったのは記憶に残る。というわけでこの一件もその流れかと思うと必ずしもそうではなさそうである。

農業のような生産力が歴史を駆動するという史的唯物論では縄文時代は見窄らしい原始状態とみなされ、稲作文明の到来で歴史は動き出すという見方もあったからである。それからすると東北地方で次々発掘された縄文遺跡の集積が訴える力を受けとめる梅原猛などの日本文化独自論を「縄文右翼」とみる風潮もあったことと記憶する。そして梅原が中曽根首相に訴えて日本文化国際研究センターが設立されたという。また今西錦司の「棲み分け」進化論が日本文化独自論の中で顕彰されたりした。皇国史観に縄文隠しは手っ取り早いかもしれないが、縄文は日本独自論に使える戦後発見された新たなアイテムであるとも言える。結局、あの「事件」が起きた原因を詳らかにはしないが、巷間言われているように「ゆとり教育」のための切り落としだったのかもしれない。

モースの影響——一枚岩でない西洋文化と実物主義

石器や土器という言葉を久しぶりに出会ったら少年時代に土を掘り返していた手の感触を思い

出して話が逸れていったがモースに戻ろう。進化論が英国の宗教勢力が知的世界にもつ威信を損ねることになることはダーウィンも自覚しており、実際にその衝撃はあった。しかし、長期の全面衝突ではなく、宗教界の守備範囲を狭め、知的世界での社会的威信を若干減退させることで徐々に落ち着いたわけである。冒頭のモースの引用の時点は『種の起源』発刊後まだ二〇年も経っていない時期であり、従来の人間観が揺らぐことへの反発が英米では噴出していた時期である。日本はこの時期、富国強兵の国家主義の時代であり科学を含む強力な西洋文明の移入に必死であった。進化論を巡る西洋文明の内部での抗争までは関心が及ばなかったということだろう。当時、学生だった物理学者の田中舘愛橘は西洋文明の中でキリスト教の位置が下がっていくのを感じとったと後に懐述している。[*3]

マルクス主義の登場と科学

第6章で日本でのサイエンスの意味の拡大についてみたが、日本の為政者が科学に初めて警戒心を抱いたのは第一次大戦後の欧化流行の中でのマルクス主義の流行であった。マルクス主義は経済理論だがその手法が科学であると謳い、また同伴者のエンゲルスは同時代の最新の自然科学事情に触れながら唯物論的な弁証法の優位性を精力的に書き上げた。こうして、それこそ人倫と自然を貫くかつての東洋の学問のように、その普遍性と論理性において壮大な体系を提示したのである。そしてこれが描く社会発展の理論の実証のようにロシア革命が実現した。世界史的にもこのインパクトは甚大なものであり、社会改革の実践を説くこの理論は学問世界にも大きな衝撃であった。

この衝撃の日本での受け止めは異常なほどの過熱ぶりであった。このことは、ソ連にもない、『マルクスエンゲルス全集』（全三一巻、改造社）があっという間に各巻平均で一二万部が売れたという事実がある。読まれたかどうかは別にしてこのことは異常な期待が存在していた証である。纏まった海外の全集の翻訳でなく、欧州で著作を収集する作業も含めた全集の編集・刊行なのである。

文部省の思想対策

大戦直後の大正ロマンとも謳われた開放的な雰囲気は世界的な不況の影響もあり、長くは続かなかった。社会の矛盾を露出し、労働運動や政治運動が頻発した。政府は共産党組織を壊滅させるなど、徹底的に弾圧して治安を保とうとした。しかしマルクス主義につながる左傾化が、経済的に恵まれた家庭の大学生、高校生などに蔓延しているという事態に直面した。政府は治安対策

＊3　岡本拓司『近代日本の科学論——明治維新から敗戦まで』名古屋大学出版会、二〇二一年。

だけでなく思想対策の必要を感じ、文部省に「学生思想問題調査委員会」を設置し、教育指導の対策を練ることとなった。[*3][*4]一九三二年の報告書は「外国思想の「盲目的模倣」や自然科学的見地への「偏倚」」と「我が国特有の文化の研究の不振と国体観念に対する認識の不足」を課題として打ち出した。当時、英米の自由主義的思想についての学生向きの著作で人気のあった河合栄治郎も委員であり、彼は学生の社会改革や思想体系への関心の高まりを評価して、正しく導く対抗理論の提示が必要だと主張したが、少数意見として否定された。

この中で自然科学教育での問題指摘もあった。例えば、「自然現象に対してのみ適用される「因果必然的の見方」を唯一のものとする教育や、学問を現象間の因果関係の研究に限定して捉える実証主義的傾向」など、真理を数学自然科学的真理に局限、総じて自然科学や実証主義の哲学的理解が十分ではない、また自然科学的見地の誤用が理想主義的見地の等閑視を生んでいる、等々の指摘である。

国民精神文化研究所設置

委員会の答申を受けて教師の再教育などを行う事業部と日本精神の再認識を行う研究部から成る研究所が一九三二年に設置された。前年には満州事変が勃発して対外侵略に踏み出し、国内的には異物を排斥する雰囲気が強まるなか、予算も要る案件だったが議会を一気に通過したという。

当初は最高学府の学者たちの対応は冷たく、研究所の紀要に発表される論説には西洋思想そのもの批判や自然科学の位置などに触れたものは少ない。当初のターゲットであるマルクス主義に踏み込んだ批判よりはむしろ、明治維新以降の西欧偏重の弊害がこの思想国難を招いたとの認識が前面にでる。このため日本精神の明敏化、東洋の霊魂文化の防護、東西の合流点であった日本の歴史的役割、などいう反近代、「近代の超克」の方向に風呂敷を広げた。文部省のこうした理論的立場が鮮明になるにつれて、学校教育の現場では復古主義と心情主義が強まり、智育偏重を批判する反知性主義が横行するようになった。[*3]

帝国科学と国粋主義の矛盾

他方、日本軍による中国やアジア太平洋での軍事的拡大に応じて、技術官僚や軍事科学の専門家からは軍事技術、資源計画や植民地経営などの新たな帝国主義的パワーとしての科学技術への要請が高まり、一九三〇年代後半からは帝国科学と呼ぶべき新たな科学技術振興が政治・行政の主題に登場した。その一方、学生左傾化対策を動機として一足先にスタートしていた文部省の対

＊4　文部省による理論的「左傾」対策を詳細に記した岡本の労作（＊3）は多くの課題を提起している。「理論的」は「国粋」を呼び覚まし、滝川事件や美濃部事件のような狂信的な思想弾圧を誘起しており、「理論的」の危険な側面である。

策は、マルクス主義の科学と実物科学の関係のまともな考察を放置したまま、西洋排除の国粋文化の強化に傾いていた。こうしたなか、教育熱心な家庭では科学そのものを左傾として敬遠する風潮も生まれ、エリート「軍国少年」の人気上昇もあって、生徒の理科離れが進んだと言われる。

文部省の国粋文化強化路線の中で、政党政治の駆け引きも絡んで、一九三三年には既定路線であったメートル法拡大への反対論が議会で起こり、メートル法推進派の軍産官のテクノクラートと対立した。[*5] メートル法制定は工業界の第一次大戦の経験で機運が高まり、一九二一年に実施法が国会で成立して準備に入り一〇年後から段階的に実施することが決まっていた。しかし国粋文化派が西洋導入反対を掲げてこれを槍玉にあげ、時局の転回を受けて勢いづき、結局、商工省は一九三九年に二〇年先送りで対応せざるを得なかった。テクノクラート主導の力としての帝国科学の振興政策と科学的合理主義否定の国粋文化の強化路線との矛盾が顕在化したのであった。

帝国科学の野望

技術官僚の主導により、科学研究がさながら文部省所管であった行政機構を改めて、省庁の上に立つ企画院が大きな研究予算を統括するなどの急流が起こった。ここにきて、省権益の縮小を恐れた文部省は俄に理工科の大学や専門学校の増設などでこのブームに歩調を合わせる修正を行った。実際、学校教育の現場で日本精神の強化が進む中で理科離れが進み、帝国科学の推進派は科学人材の危機を感じていた。
こうしたなか、科学人材獲得のマスコミ対策も取られた。
「科学総動員という言葉が昨年来から用いられ、広範囲の計画がたてられた。これ等の空気を反映して世はまさに科学時代である。科学を知らざる者は人にあらずとまではゆかないとしても、科学の華がこれ程ぱっと開いた時は未だかつてないのである。科学書は、どしどしと出版されて毎日の新聞をかざり、劇場は科学者の伝記を上演し、文化映画は科学知識の普及に全力をあげる。科学者はラジオに講演に引き出されて熱弁をふるふ、大学専門学校の技術科方面は志願者が殺到する。娘達は技術者との結婚を希望する、世はまさに科学者の春である」[*6]
良家の親たちに一度染みついた「科学＝左傾」のムードを覆して「嫁さんもくる科学者」というう明るいイメージへの転換を図ろうとする涙ぐましい工夫が見える宣伝文である。確かに政治情勢の急展開のなかで、「学生左傾化」の原因を探るといった悠長な手法はとる暇もなく、ひたすら予算を投入して帝国科学を起動させたのである。一九四〇年に始まったこの「官僚たちのデザ

＊5　廣重徹「総戦力体制に向けて」『科学の社会史（上）』第五章、岩波現代文庫、二〇〇二年。佐藤文隆・北野正雄「日本はSI優等生、かつては国粋主義者の反対も」『新SI単位と電磁気学』第六章、岩波書店、二〇一八年。
＊6　伊藤行男「科学者の春」『科学ペン』一九四一年四月号。山本義隆『近代日本一五〇年——科学技術総力戦体制の破綻』岩波新書、二〇一八年より転載。

インは敗戦で一旦中断するが、戦間時の大学理工系学生定員の急増は戦後の回復期の人材を提供したものと思われる。「定員」は一九二六年を一〇〇として、一九三五年一六八、一九四〇年二〇二、一九四五年には四一九と急増させ、敗戦後に引き継がれた」[*7]。占領下から独立した戦後の科学技術政策の中で復活したとみる「昭和連続史観」は説得性があり、この流れでいうと占領軍主導の日本学術会議の宙ぶらりんさが見えてくる。

行としての科学する心――橋田の挫折

「嫁さんがくる」の宣伝で若者を呼び込んでも、神がかりの皇国史観と国粋主義の枠内に抑え込んで西洋起源の科学の強化を図るのは至難の技である。この二つの国策の矛盾が露呈した第二次近衛内閣から東条内閣の時期、文部大臣は珍しく橋田邦彦（一八八二―一九四五）という科学者であった。橋田は一九二二年に東大医学部生理学の教授、文部省視学委員、第一高等学校校長兼任などを歴任、一九四〇年に文部大臣に就任、敗戦後はA級戦犯の召喚を受け自宅で服毒自決するという痛ましい結末であった。戦後ほとんど語られない人物である[*8][*9]。

八方塞がりの橋田にはひたすら個人の心に向かうほか手がなかった。「昔から天命とか天理とか云って、自然に準拠して人生の則を求めんとして、自然に憧れ、大自然と云い表して自然を尊んだことは、自然の働きが無心であり、無我であるということが根源にあるのであります。即ち人生は無我でなければならない。無我の行でなければならないという、その無我無心を尊ぶが故に、自然に対する憧憬と尊敬を吾々が持っていると考えられるのであります。この私の無に所謂無である心、あるがままなる心、あるがままにあるものを掴む心、それが実証の働きであります。このような学者の境地は本人が自覚すると否とに拘わらず、真剣に科学する人はそのような境地にあるのだということです。その意味で真剣に科学することはそれ自体、行であるというわけです。また「身心一如」或は「物心一如」という無我の「行」として、科学を行ずる立場まで是非来なければならないと考えるのであります」。「そこに於いて科学というものが始めて我が国の科学として真の意義を発揮するのでありますけれども、それ」。西洋から入ってきた科学でありますけれども、それを吾々日本人のものとしてその働きを現さなければならないと思います」[*10]。

科学を志すものの自由な主体の芽生えは科学的探求が持つ普遍性、天皇制をも相対化する俯瞰的視点を育むものである。戦争への科学動員が声だかに叫ばれる中、そこを避けて、心を無にする精神主義が説かれている。橋田は仏教に帰依していたといい、本人の意図はどうであれ、独立

＊7　佐藤文隆「「昭和反動」下の〝科学〟と〝科学的〟」『歴史のなかの科学』第五章、青土社、二〇一七年。

＊8　佐藤文隆「司馬遼太郎の昭和、「行としての科学」」『科学者、あたりまえを疑う』第一〇章、青土社、二〇一六年。

＊9　高橋琢磨『葬られた文部大臣、橋田邦彦――戦前・戦中の隠されてきた真実』WAVE出版、二〇一七年。

＊10　橋田邦彦『行としての科学』山極一三編、岩波書店、一九三九年。

して思考する主体を自然のなかに融解させる試みである。彼の講演は文部省肝いりでまとめられ読本として広められた。世界的になった若き湯川秀樹も動員され、その苦悩を偲ぶことができる。[*7][*11]

モースが伝えた実物科学

冒頭のモースに戻ると彼は米国東海岸のメイン州に生まれ、鉄道工場の職工で働きながら趣味で昆虫や貝などの採集をしている中で、動物学者のルイ・アガシーに認められて学問の世界に入ったという経歴である。アメリカの若々しいダイナミックな時代の申し子といえる。アガシーはスイス生まれで、一九世紀後半のアメリカで化石の古生物学、氷河期の地質学、海洋の動物学などの研究で活躍した。その上に独特の教育理念で多くの科学者を育てたことでも知られ、そのモットーは“Study Nature, not Book”であった。アガシーと息子が創設したウッズホール海洋生物研究所の玄関にはこの言葉が掲げられているという。亀の甲羅やエビの殻などに接していれば自然の真理が感得されるとし、過去の知識（book）ではなく直接自然（nature）に学べと。野外観察重視の理科教育のモットーとして今も引き合いに出される。ただ日本では「自然を学ぶ」でなく、自然との一体感を得る「自然に学ぶ」と解して傾倒する向きもあったという。[*12]

日本の科学移入はこうした実物主義から入る場合が多い。その学風はある意味で堅実ともいえるが、それを通して理論や世界像の革新を行うまでには至らず、科学のイメージが個々の専門分野での実験観察に基づく知識の羅列のように見えてくる。[*13] それでは、現実を理とか気とかの形而上学的原理で説明する東洋の学問やマルクス主義の壮大なイデオロギーにあった学問的魅力に欠けている。昨今、かつての人類学や進化論のような人間の見方に関する革新が遺伝や脳などの科学でも最近相次いでおり、科学と伝統文化や諸思潮との対話の必要性が痛感させられる。

丸山眞男は英国の学者向けの講演で世界的に見たときの戦前の日本でのマルクス主義の過剰な流行について触れている。[*14] 普遍的真理があるというオーソドキシーの不在が江戸初期のキリシタンやマルクス主義の流行を生んだと述べている。オーソドキシー不在の神道に根ざす伝統的思考では新来のオーソドキシー感染への免疫がなく蔓延したと。ダーウィンの進化論という新科学はキリスト教というオーソドキシーとの「対話」を迫られたわけであり、その中でオーソドキシー自体が変容していくのである。こういう対話が学問の世界を豊穣に保つのであろうと考える。

＊11　本書第11章。
＊12　佐藤文隆「「医は仁術」展」『科学者には世界がこう見える』第七章、青土社、二〇一四年。
＊13　佐藤文隆「学校教育での科学」『科学と人間——科学が社会にできること』第二章、青土社、二〇一三年。
＊14　丸山眞男「戦前日本のマルクス主義」（一九六三年）湯浅成大訳、丸山文庫所蔵未発表資料翻訳。

第９章

物理教科と情報化時代

――学校教育に「未来」を

学校教育と過去・未来のジレンマ

「過去の教訓を未来に伝えるのが教育である。人類のながい歴史の中で「教育」という職業が尊敬を集めていたのはこの行いに需要があり、強く求められていたからである。「教育」が指導層養成に限られていた近代以前では教授する知識の内容は「古典」にあったが、「教育」が国民全体に拡大し学校制度が登場するに連れて、より「現代」的知識の教授が求められるようになった。社会での「教育」機能が学校以外になくなったことと社会変化のスピードアップがある。このために、過去と未来は非対称なのに「過去の人が未来を教える」という時間差をめぐるジレンマを、教育者は抱えることになる」[*1]

これは日本物理教育学会の機関誌『物理教育』(二〇一八年一二月)に掲載された「物理学と力学のツール的性格――AI時代の物理教育とは」の冒頭の部分である。二〇一七年夏に甲南大学で開催されたこの学会の第三四回物理教育研究大会での特別講演を依頼されたのであるが、肺炎を患って入院となり、キャンセルせざるを得なかった。その際に予定していた講演内容を後に近畿支部特集号に投稿して欲しいと要請されて執筆したのが先の文章である。一日ほどの間に急な高熱が続き夜に急遽入院となったが、当初は二週間以上先の講演日には退院できるという医者の見立てであったから、直前のキャンセルとなり世話をしていた甲南大の同僚には大変な迷惑をおかけした。肺炎の病状の急変は「新型コロナ」重症化の様子に似ていて、生々しく当時を思い出したものである。

「世間」が「学校」を追い越す

本題に戻ると、「過去と未来の非対称」という「教育のジレンマ」に対する解決策は学校教育が「未来」であることである。一九四三年に田舎の小学校に入学した人間にとって学校はまさに「未来」であった。単純に椅子と机の空間は「未来」であったし、教材倉庫のような部屋に立っていた人体骨格模型は強烈な存在だった。全てが校外の世間とは異なる「未来」であった。学校は生徒を「未来」に導く仕掛けであり、教員は子供を「未来」へ導く導師だった。しかし敗戦による国粋主義教育への反省と一九六〇年代からの高度経済成長をへて「世間」と「学校」の未来度は接近し、学校はもはや未来という異空間ではなく、教員も未来への導師という聖職ではなく

＊1　佐藤文隆「物理学と力学のツール的性格――ＡＩ時代の物理教育とは」、『物理教育』日本物理教育学会、二〇一八年一二月。

なり、「でもしか先生」などという心ない言辞が登場する流れになった。

遅れた世間を跳ね返す

「十九世紀、中央集権的に国民国家形成を行なったフランス、プロシャそれに日本でも、学校教育の「運動」は現存していた世の中を肯定せず、それを革新していく人材育成を学校は担っているという自負が教育界にはあったのである。だから、遅れている世の中に生きる準備などという顧慮の必要はなかった訳である。教員は遅れた世の中の全国津々浦々に築かれた橋頭堡の守り手であり、教員は世の中の革新者という攻めの意識を持っていた。だから「隔離論」は防衛的というよりは攻めの意識を維持し、「世間並みに堕落してはいけない」という世の中の改造者としての使命感を昂揚させる旗であった。遅れた世間を跳ね返して遮断するのは当然である[*2]」

ここで「隔離論」とは子供に見せたくない汚い世の中から隔離して伸び伸び育つ環境を学校は保持すべきだという論である。汚い世を生きる耐性は世に出てから身につければよく、学校は世の中の避難所であり、アジールだと。それに対して学校教育は世の中を生きる能力を身につけるために積極的に世の中の方を向くべきだという主張もある。「学習には段階的なコースが必要だから、気が散らないように世の中とは違う環境醸成が必要だ」という専門家の教育手段論としての隔離論もある。また「大人になれば仕方ないが、子供の間だけでも、人間の価値や理想や文化に触れさせる期間である」というように学校の理念と現実の世を対立的に捉えたうえでの隔離論もある。

国民国家の枢要な事業

「明治期だけでなく、戦時体制構築の学校教育、大戦後の民主主義教育においても、日本の学校教育は明確な国家目標のもとでの人材育成の橋頭堡であった。内容的には行き過ぎ、虚偽の集団妄想、などなどの、手痛いしっぺ返しも歴史的には受けてきたが、長い間、学校教育は国家が運営する枢要な事業であるという認識が続いてきた。それは次世代の国家のための人材育成という世の中にとって枢要な事業であることを世の中が認識していたからである。個性ある人間とかではなく、「国家の人材」だから枢要な事業なのである。だから、世の中から一段高い位置を占めており、それは給与、恩給、公的顕彰、叙勲などの制度にも表れていた」[*2]。歴史的には、徴兵制度と並んで、義務教育の普及が国民国家形成の枢要な事業であった時代を見落としてはならない。学校教育に対する国民的合意が自明に存在した時期には、学校業界は未来へと時代を牽引していく前衛の自負と気概を持っていたといえる。

＊2　佐藤文隆『科学と人間――科学が社会にできること』第二章「学校教育での科学」青土社、二〇一三年。

「未来」への前衛からサービス業に

ところが、国民の大半が高等教育を受ける状態になり、また共有される国家目標が不明確になると、世の中での学校の位置は大きく変化した。未来へ引っ張る前衛の位置から親に代わって子供の世話をするサービス業に転移したのである。

いまでも開発途上国の学校は前衛の立場にあるのかもしれないが、先進国では国民国家形成時の学校教育の輝きは失われている。この前衛という歴史的使命の終焉後の着地点が自明でないところに混迷がある。前衛意識が融解すれば、子供の環境の多様さに振り回されて学校は右往左往することになる。前衛でなくなった教員と保護者との間柄はサービス業とクライアントの関係になり、サービスが競わされることになる。泉のように流れ出る「未来」がなければ、「現在」の汚物が流れ込む排水溝のようになる。

新たな「未来」とは？

学校を再び未来へ引っぱる前衛の場にすることはできるのか？　新しい「未来」とはなんであろうか？　こう問われると多くの人は、ここ十数年、急速に社会に吹き荒れているＩＴＣ革命なるものを思い浮かべるだろう。それは何か未来を先取りしているように思えるからである。それが学校教育の前衛化になりうるかどうかは別であるが、真剣な検討の課題にすべきであろう。そのことによって学校教育の現時点での役割の論議も深まるであろう。後述するように、私は職場がら電子計算機、Eメール、インターネットといったデジタルなICT技術を一九六〇年代の初期から経験してきた者だが、世界的に見られるスマホの爆発的受容熱は自分の予想を超える驚きであった。この趨勢を前提にするにせよ、沈静化を図るにせよ、この動向を無視した未来はないと思う。

学校はすでにテンヤワンヤ

しかし、こんな素人教育談義をすると、渦中にある関係者からは「そんな呑気な状況でない」、〝戦後最大の〟とも評される学校教育の大改変がもう始動していると批判されるかもしれない。確かにICT関係だけでも、「情報」科目の高校での必須化、「一人一台の端末支給」、「デジタル教科書」、「GIGAスクール構想」などなどが進行中のようだ。それに対して「ICTは道具、教育とは別」、「ICTは動きが激しく教科にはなりにくい」、「学校が未来どころか陳腐化した機器の巣窟になる」、「機器大量納入の景気対策だ」、「学校教育をビジネスの場に引き出すための新自由主義のアイテムだ」などなど、批判する声も強いようだ。推進側も試行期間や実験校の経験もふまえて本格導入前の大事な時期にまさに「コロナ禍」が襲いかかり学校現場はその対応でテンヤワンヤのようである。

加えてICTや「コロナ禍」がなくても日本の学校教育には課題山積であり、学校教育現場はまさに麻痺状態に落ち込んでいるとも言われている。「増加する行政文書作成」、「部活動」、「いじめやモンスターペアレント対策での教員の過重労働」などからはじまって、大学入学共通テスト、新学習指導要領、変形労働時間制、三五人学級、総合歴史、総合地理、小学校英語、論理国語、文学国語などなどの新教科、問題が多すぎていちいち落ち着いて議論する物理的時間も精神的余裕もない状態のようだ。最大の問題はこれらが本来は国民的な課題であるにもかかわらず、「事件的」でないからか殆ど世間の関心を集めていないことである。「改革」の最終段階期が「コロナ禍」と重なったのは偶然だが、そんな中で「異常時だから先送りすべき」という慎重論がある一方「異常時だからこそ実行可能」という便乗論も横行している。しかしここまで錯綜した問題のジャングルで出口が見えない場合にはともかくある方向に進んでジャングルから脱出する政治力も必要であろう。こうしたなか『現代思想』がこの課題を連続して取り上げているのは奇貨とすべきであろう。[*3]

「物理」教科低落への切り札

再び冒頭の『物理教育』への寄稿に戻ると、日本物理教育学会での講演依頼を受けた心底には学校教育の中で物理学の魅力を共有する教員たちを元気づけたいという思いがあった。理科教育での物理教科の低落傾向に歯止めをかける切り札の一つは物理学と情報やICT化の教科の親近性に着目することだと伝えたかったからである。日本人ノーベル賞など、世間での物理学の地位は低落でもないが、高校での選択科目では低落なのである。些か迂遠のようではあるが、起死回生のためには物理学自体の見方を変えなければならないと言いたかったのである。それについては別の切り口でも言っているが、物理学はメカニクスであり、ツールであり、道具だということである。道具をつくり、道具で発展する学問なのである。道具には機器もあるし理論概念もある。[*4]

＊3　『現代思想』二〇一九年五月号「特集＝教育は変わるのか」、二〇二〇年四月号「特集＝迷走する教育」、二〇二一年四月号「特集＝教育の分岐点」。
＊4　佐藤文隆『「メカニクス」の科学論』青土社、二〇二〇年。

物理低落の仕組み

私は「センター入試」や京大入試の物理問題の作成・採点に携わったこともあり、高校「物理」教科書の編者をした経験もある。そこで高校教員や教科書会社から聞かされたのは高校理科での物理の低落であった。その仕組みはこうである。学齢期人口減少で教員削減が進む中で、物理・化学・生物・地学の理科四教科の教員も減らされていくが、その際にどの専門の教員を削減するかは生徒の科目選択で決まる。ある時から理系の受験でも二科目でよくなった。すると物理にも生物にも重なる化学の選択が一番多くなり、生物が物理を追い越して化学・生物の二強体制に移行した。[*5] 学校に物理の教員がいないと化学の教員が物理の授業を兼ねたりするが、事情を知ると生徒も選択しなくなり、低落に拍車がかかる。さらに日本独特の「数学敬遠」の風潮も低落を加速させる。もっとも、一九五〇年代、「ユカワ」や「原子」や「電子」の熱気は「数学敬遠」意識などを蹴散らす威力を持っており、物理は理科の貴公子のような科目で、教員にもその誇りが溢れていた。

物理選択生徒は優秀？

この「貴公子」からの転換を象徴するこんな経験もした。一九九〇年代の中頃、入試センターの仕事に携わり、物理部会長も務めたが、理科での前期から継続の懸案に「物理の平均点が他の理科科目に比べて高過ぎるから、問題を難しくする」かどうかがあった。前任の物理部会は「平均点が高いのは、物理受験者が優秀だからだ」と主張して「問題を難しくする」案に抵抗したらしい。一九五〇年代から続いた「理科の貴公子」意識からくる自然な反応だった思う。そこで全体の調整を図る委員会では「本当に優秀なのか？」と、センターがもつ成績データをもとに理科の選択別に英語などの他教科との相関を調べたらしい。そして、次期の物理部会となった我々はその結果を聞くところからこの懸案に関わった。データの分析結果からはどう見ても「物理受験者は優秀」という結論は見られず、前任の物理部会の主張は引っ込めざるを得なかった。仕方なく問題を少し難しくしたら、今度は平均点が下がりすぎて、物理教育業界からは恨まれた。平均点の上下が高校での生徒の科目選択にも影響するからである。

＊5　高校理科は物理・化学・生物・地学の四科目だが地学の履修者が極端にすくなく、実質、三教科の実態がある。地質、大気環境、天文、恐竜化石、気候変動、宇宙生命などポピュラー・サイエンス界ではメジャーな話題だが、高校理科では地学は継子扱いである。

高校全入と物理の低落

「物理受験者が優秀」の見方にも根拠がないわけではなかった。いわゆる一九八二年ごろの指導要領の改訂での物理履修者の急落のことである。[*6] この背景には高校全入がある。一九七〇年代末には全入がほぼ達成され、これに対応するために教科内容のレベル下げや基準の引き下げが行われた。実際、高校進学率の上昇につれて、従来の中等教育のレベル維持は不可能であることが認識され、多様化と称して複線コースを可能とした。苦手なものは避けてよいとしたのである。かつては三角関数や平方根などの非日常に出会い、理解できなくてもそういう世界の存在に気づかせてくれたものだが、それも無くしたのである。その流れで物理、化学、生物の三教科のいずれにも少しは触れる従来の規制がなくなり、嫌いなものには触れなくてよいように必修と選択のルールを変えたのである。このため「数学嫌い」のせいで物理は敬遠され他の科目との比較で選択者数が急落したのである。全入で増えた層がほとんど物理を敬遠したという見立てである。[*7]

「物理は難しい」は「物理は高等である」という意味でもあるから、勲章でもあるのだが、学校教育の現場では履修者数減少が直ちにその専門の教員削減につながるから、高校からの消滅になりうる。学校教育では三科目必須というやり方が意味をもつと思うが、履修には試験がつきものだから、「理解できない」ことでも触れてみるといった余裕はないのである。

医学部入学者の生物離れ

「難しい物理」への需要も一部にあった。難関の医学部受験を志す生徒が物理と化学を選択して、生物を履修しない事態が生じたのである。現在はこの偏向は是正されたようだが、こうなった仕組みは次のようである。難関の医学部受験を志す論理的思考の能力がある生徒には物理は確実に点が取れる科目なのである。生物の暗記的な試験問題はテーマを知っていないと取りこぼす危険性があるが、物理に登場するテーマは何十年も変わっておらず、それをカバーするために試験問題が技巧的になったりするが、論理思考の能力があると満点が確実に得られる。「敬遠される」も「確実に」も数学やメカニクスの特性なのである。

その反面にあたるこういう事象も起こった。工学部進学の生徒数は相当多いが、ここでは物理を履修していない進学者の増加が問題化した。工学部の専門は高校理科でいうと大半が物理であり、次に化学である。ところが自信のない生徒はそこそこの点が取りやすい化学と生物を履修し

＊6　物理教育実状調査研究委員会「高校における物理履修状況の変遷」、『物理教育』日本物理教育学会、第三八巻第四号、一九八九年。

＊7　高校理科では四科目各々が入門と発展の二段階になっており、「急減」したのは入門の物理基礎である。発展を選択するのは三科目とも少数であり、三科目で大きな差はない。

てしまうのである。これには入学直後に高校物理を大学で補習して対応した大学が多かったようだ。

物理ハイテクでバイオと情報の時代へ

物理教科の低落は「少子化での専任教員減少」、「数学敬遠」、「入試の仕組み」などの学校教育界の歪みだけで起こったことではない。世間での科学の見え方の変化もある。昆虫や恐竜などについての生物学でなく分子の化学やハイテク物理が拓いたバイオの社会的地平は広大であり、「情報」、「デジタル」、「ナノテク」、「スマホ・ネット」なども世間では大きな存在になった。貴公子であった時代の物理学は表から裏に回ってこれらの分野の革新を支えたのである。

その間に小型化、高速化、ネット化、5Gなどのハードウェアの進展は予想外に長足であり、理系の課題だけでなく、社会生活全般に影響を及ぼす本格的なＩＣＴ化の時代はこれからが本番である。その意味では学校教育との関係も、教育道具の革新といった近年の課題にとどまらず、数学を含む理系教科全体の見直しも必要だろう。当面始まる様々な動きは全て試行的、実験的であるという視点で対応すべきであり、「正解が見えていない」という「開かれた」展望や視点を持って実行すべきである。現状に対する危惧はこの「正解が見えていない、開かれた展望」という視点が排除されている学校教育の体質である。

物理学のデジタル体験

これまでのICT登場の歴史を見ると物理学の研究がその推進役であった。原爆シミュレーション計算、大学計算機センター、シミュレーション映画、CERNでWeb、高エネ実験での高速回路、ビッグデータ、bitnet、光ファイバー、Phys. Rev. オンラインジャーナルなどなどであり、私も早くから関わったし、物理学者が情報化時代を切り拓いてきた実感がある。[*8] また一九五〇年代、物理学はDNAの「バイオ」を生み出すなど、物理帝国主義と言われたように分野を越境した。情報科学はまだ存在せず、物理学者と数学者がそれを切り拓いたのだが、この「元気な物理」の歴史は、自分の初期の体験からしても実感があった。

一九六〇年代当時を象徴する一つの挿話を紹介する。京都大学に大型計算センターが設置される時の機種選定委員会の委員長は私が院生から助手の間所属していた研究室の林忠四郎教授であった。京大には大きな工学部があり、情報学科を生み出す電気学科も強力な大学である。だから、全学の計算センター設置でも工学部の教授が中心に座ってことが始まったと思うであろうが、

＊8　テレックス、Eメール、インターネットなどの通信系の技術に一九八〇年代後半の早期から触れることが出来たのは物理教室内の高エネルギー実験グループとの連携があったからである。CERNなどの国際共同実験がこの技術を加速したと言われるがそれの恩恵を受けた。

なぜか宇宙物理学の林教授が委員長だったのである。[*9]
これは私が助手だった時期だが、研究室の諸雑事の打ち合わせに教授室に行くと、よく富士通や日立のスタッフが説明に押しかけているのに出くわした。私はこの研究室の後任の教授を務めたのであるが、コンピュータの威力を早期に研究に取り入れた林の先見の明の上に、その後の先進的な宇宙物理研究ができたのだと思っている。研究を実際に進めるとはこういう未来の道具を率先して試してみることなのである。

検出技術と理論概念を鍛える情報技術

現在のように確立した分野の情報科学は物理学とは離れた存在と思いがちだが、対象が広がっているだけで数理的手法は重なっており、近い存在である。物理学の急拡大はデジタルやICT技術の拡大強化と軌をいつにしていた。観測や測定器のデジタル化とその情報処理において最先端の物理学は情報科学フロントへの挑戦であったといえる。宇宙物理をとっても、CMBゆらぎ、ブラックホール合体の重力波、ブラックホール撮影、系外惑星の発見、これらはみなビッグデータの情報処理テクニクスへの挑戦であった。その一方でこの情報処理を支えるハードウェアの開発を物理や化学の物質科学の進展が支えた。ICT技術の市場拡大と並行した半導体技術の進歩が低価格化を支え、それがまた市場を拡大するサイクルが動いたのである。このダイナミズムが見える物理学の語りが欠けていると感じている。

私は「宇宙がビッグバンで始まったなどという知識は二束三文の値打ちもない、大事なのはなぜそう考えられているかを理解することだ」とよく言っている。[*10]「重力で落下」や「熱すると光る」、こうした身近な現象と宇宙がビッグバンで始まったことが繋がっていることの認識が大事なのである。理系学問の中での物理学の特性は法則が有する普遍性を実験での検証を経て明らかにし、生命や宇宙の未知の対象の解明に物質の科学を拡大することである。物理学は確証されたスグレモノのツールの達人として宇宙解明に挑むのであって、「宇宙に物理法則を探る」のは方法としての物理学ではない。対象の拡大もそこから新たな方法としての物理学の芽を探る視点が大事なのである。実験手段の意味でも、数理手段の意味でも、その中で人間の学問としての物理学は鍛えられていくのである。だから「ツール」がビッグバンの発見をどう導いたかが重要なのである。

＊9　林忠四郎は、一九五九―六〇年、NASAの理論部に滞在して、ワシントンのカーネギー研究所に設置されていた、IBMの電子計算機を用いた数値計算を経験し、その便利さに驚嘆した。「帰国後は、教室にゼロックスやカード・パンチ機を導入するとともに、共同の計算室を設置するように努力した。また、東大教養の小野周教授らと協力して、わが国の共同利用の計算機センターを七箇所に新設し、その一つを京大に設置することに数年間尽力した。京大の大型計算機設置委員会の委員になり、機種選定委員会の委員長やセンター設立後の協議員などを勤めたが、ここで工学部の情報工学の、若い助教授を含めた多くの方々と知り合いになれたのは、予期せぬ収穫であった。以後、この大型計算機の利用は、我が研究室にとって欠かせないものとなった」（佐藤文隆編『林忠四郎の全仕事――宇宙の物理学』「I　林忠四郎の自叙伝」京都大学学術出版会、二〇一四年）。

＊10　佐藤文隆『科学と幸福』岩波現代文庫、二〇〇〇年、一九一頁。

Ⅳ　湯川秀樹の時代

湯川については多くの文章をこれまで書いてきたが、ここでは研究の世界からは逸れたいくつかの関連した事項を取り上げた。第 10 章は湯川登場時の西田幾多郎の科学への関心を物理学を目指した息子外彦の挿話を含めて記した。第 11 章と第 12 章は各々第二次大戦中から戦後にかけて湯川の周囲に居った右翼・荒木俊馬と左翼・武谷三男との関わりを記したものである。第二次世界大戦前後の世相と研究者の状況を、筆者の体験をまじえて、ルポルタージュ風に記した。第 13 章は湯川が描いた定年後の生きがい論であり、物理学の研究だけでなく学問に生きた人間湯川の全貌を描く試論である。

第 10 章

西田幾多郎と桑木彧雄

――「プランクのマッハ批判」の余波

幾多郎から外彦への手紙

「原子核構造の問題折角御研究の由何とかして物になればよいが。ラッサフォード、ボール、キュリー・ジョリオの所へ送りましたか。ネーチュアには何時頃でるか。先日のブロイーの波動力学を一寸よんで見たがコルパスクルと波動とを一つに考え光の速度のものがマッスがゼロになるとする考などいかにも面白い。あの人なども中々思いつきのよい人だ。この頃物理学は中々面白い、ただどうも数学や力学の素養がないので困る[*1]」

これは西田幾多郎（一八七〇―一九四五）が息子の外彦（一九〇一―一九五九）宛に一九三五年二月二四日に鎌倉から出した手紙の一節である。長男の謙が三高生の時に夭折していたのでこの頃は外彦が一人息子であった。この手紙は外彦から原子核物理の英語の論文を書いたという手紙を受[*2]け取り、息子もようやく一人前の学者になるのかという感慨での嬉しさが明け透けに表現されている私信である。文面に散りばめている物理学関係の人名や専門用語は、幾多郎が当時の量子論や原子核物理をフォローしていたことを窺わせる。また細かく見るとラザフォードやボーアの名はこの時点の十数年前の量子力学誕生時のものだが、ジョリオ・キューリーの名は一九三二年の中性子発見以後の原子核物理の新展開をフォローしていたことを窺わせる。またこの手紙が出されたのは、湯川秀樹（一九〇七―一九八一）が中間子論の論文を刊行した時期でもあり、二次宇宙線中のミューオンの発見によって湯川の名前が世界的に有名になる二年前のことである。

京大物理玉城研究室

外彦は京都大学理学部に入学し、はじめ物理化学を志すが、途中で青年期の一般的な悩みによ

＊1　『西田幾多郎書簡集』藤田正勝編、岩波文庫、二〇二〇年、書簡170（一九三五年二月二四日）。『西田幾多郎全集』新版全集（二〇〇二―二〇〇九年）には四五〇〇通を超える書簡が収録されているおり、全二四巻のうち五巻を占める。この岩波文庫版にはこのうちの三二一通の書簡を選んで収録されている。掲載書簡の多くは抜粋である。

＊2　西田外彦のこの論文のタイトルは On Hard Gamma-Ray from Ra (C+C′+C″+D) であり、*Physical Review* 51, 996, 1937 及び『数物学会記事（英文）』一九巻（一九三七年）、八〇九―八一七頁に掲載された。『数物学会記事』には Disintegration of Nucleus by Cosmic Radiation (1937)、A simplified Wilson Chamber (1937) もあり、いずれもウィルソン霧箱を検出装置として用いた実験の報告である。Ra（ラジウム）の長寿命励起状態（C, C′, C″, D）間の遷移で生じたガンマ線によるコンプトン効果での荷電粒子の軌跡をウィルソン霧箱実験で調べ、それまでの海外での実験の結果も総合して Ra 核の励起状態を論じた。
　この『数物学会記事』（一九三七年）には湯川の中間子論の第二論文（On a Possible Interpretation of the Penetrating Component of the Cosmic Ray）も掲載されている。

り、哲学志向にぐらついたりした。心配した幾多郎は弟子の務台理作に説得を依頼した経緯もあった。[*3]卒業後神戸製鋼所に就職するが、二、三年後に今度は京大物理の玉城嘉十郎[*4]の研究室に研究生として戻る。その後、神戸市に創設された甲南学園の旧制高校の教師となるが前記の「論文」はこの時期のものである。

玉城は古典力学の教授で特殊相対論や流体力学の数理物理の研究者である。二〇世紀に入って勃興した原子物理や量子論の研究はしていないが、この新しい物理学を理論的に学ぼうとする学生を受け入れていた。量子力学に必要な解析力学の講読指導などをしていた。一九二九年に京大理学部を卒業した湯川秀樹と朝永振一郎（一九〇六―一九七九）は量子論を学ぶべくこの玉城研究室に入った。研究生の多くは玉城の指導で古典力学の専門研究をしていたが、自学自習で量子論を勉強している先輩に西田外彦と田村松平がいた。湯川と朝永は「文献を教えてもらった」と回想しているが、あまり議論した様子はない。

玉城記念講演会五〇年

冒頭の幾多郎の手紙に出合ったのは、じつは最近、湯川、朝永、田村、西田などがかつて集った研究室の主である玉城教授のことを調べていた時である。二〇二〇年一二月一八日に開催された京都大学理学部主催の「玉城嘉十郎教授記念公開学術講演会」での講演「玉城嘉十郎と湯川・朝永のレガシー」の準備である。この玉城記念講演会[*5]が一九六九年以来五〇年目になったことを記念して、歴史に触れた講演の依頼が私にあったのである。もう一人の講演者は山極壽一前京大総長だった。この講演会は理学部内の学科が交代で各々の分野から二つの講演を企画、開催してきたが、二〇二〇年は動物教室が当番だったようで、五〇周年記念で私の講演が割り込んだのでゴリラ研究者の山極とペアになったのである。コロナ禍のなか京大北部構内の益川ホールでの講演会は無観客でのオンライン公開に変更され、奇妙な体験をした。

＊3　外彦の人生の迷いに対しての幾多郎の務台理作宛て書簡72（一九二二年九月二九日）がある。「どうしても化学がやり度ないと考えても少なくも来年三月まで化学を真面目にやりつついてその間によく考える事、或いは貴考の如く理論物理なども可ならん」。この一九二二年はアインシュタイン訪日の年だからか「理論物理」が飛び出している。

＊4　玉城嘉十郎（一八八六―一九三八）は京都生まれ、三高、京大を経て一九一三年京大助教授、英、米、仏などに二年留学、一九二一年教授となり力学講座を担当。現役の五二歳に急に病没し、翌年に湯川が後任に就いた。

＊5　京都の旧家の玉城家に伝わる俵屋宗達の襖絵が国の買い上げになり、一九六九年にその資金を京大理学部に寄付され、これを原資に記念講演会がはじまり、すでに半世紀もつづいている。二〇一〇年からは理学部と湯川記念財団の共催になっている。佐藤「玉城嘉十郎記念講演会設立とその意義」、京大理学研究科編『京都大学理学部玉城教授記念講演会五〇周年記念』、京都大学学術出版会。

「大革新」への挑戦とリスク

『X線からクォークまで』というミクロの物理学の展開を書いたセグレの自伝的な科学史の本がある。[*6] 一九世紀末の偶然の三大発見（X線、放射線、電子）からはじまり電子と原子核から成る原子、素粒子（陽子と中性子）の塊としての原子核、クオークから成る素粒子というミクロの世界が次々と解明されたのが二〇世紀の物理学であった。この新世界での古典物理学の限界が明らかになり、一九〇〇年のプランクの作用量子仮説を起点にしたアインシュタインの光量子説やボーアの原子モデルなどの前期量子論の成果を踏まえて、一九二五―二七年ごろにハイゼンベルク、シュレーディンガー、ディラックらによる量子力学という数理理論が登場した。

湯川と朝永が大学に入学したのはまさにこのニュートン以来の物理学の大革新という時期であった。この大革新に刺激されて田村、西田、湯川、朝永らが自学自習でこれに挑戦したわけであるが、欧州から遠く離れた極東の地にあっては、研究者への道としてはリスクの大きいことだった。田村は私が京大に入ったとき教養部で最初に物理学の講義を受けた教授であるが、まぶしい湯川・朝永の背後の様子に気づかされたものだ。その後、同じような存在として哲学者西田の息子がいたことを知った。教授や先輩もいない新分野への自学自習での挑戦のリスクを感じたものである。面白いことに湯川、朝永、西田の父親はいずれも京大文学部創設後の間もない時期に赴任した教員たちである。*7

西田哲学と物理学・数学

今回、「玉城講演会」の講演依頼で偶然に冒頭の手紙に出合い、哲学者西田幾多郎の物理学への関心に興味を持って調べていて科学哲学者・野家啓一の「科学哲学者としての西田幾多郎」なる論考に接した。*8

野家はまず西田哲学の発展過程を三期に区分する。

前期：「純粋経験」と「自覚」の時代、『善の研究』（一九一一年）、『自覚における直観と反省』（一九一七年）。

中期：「場所の論理」の時代、『働くものから見るものへ』（一九二七年）、『一般者の自覚的体系』（一九三〇年）。

後期：「行為的直観」の時代、『哲学論文集第一』（一九三五年）、『哲学論文集第七』（一九四六年）。

*6　エミリオ・セグレ『X線からクォークまで――20世紀の物理学者たち』久保亮五・矢崎裕二訳、みすず書房、一九八二年。

*7　湯川の父小川琢治は地理学者で京大赴任時は文学部だが、その後理学部に移り地質鉱物学教室を創設した。朝永三十郎と西田はともに文学部哲学科である。また桑原隲蔵（中国古典）の息子が桑原武夫である。

*8　野家啓一「科学哲学者としての西田幾多郎」『西田哲学年報』六巻（二〇〇九年）、一一―一七頁。

その上で「西田が『哲学論文集』を拠点に独自の科学哲学を展開した「後期」は、一九三〇年代半ばから一九四〇年代半ば、すなわち日本が満州事変から太平洋戦争へと突入していく戦時期に当たる」としている。西田にとって科学哲学と宗教哲学は水と油の関係ではなく、彼独自の「論理」を蝶番にして結ばれた一体のものと見なされていた。「西田哲学の全体像を把握するためにも、彼の科学哲学の再評価が不可欠と考えるゆえんである」としている。[*8]

反自然主義・反実在論

野家はさらに現代の科学哲学の地図の中に西田を次のように位置づけている。科学哲学界をいま「自然主義／反自然主義」と「実在論／反実在論」の二つの対立軸で「地図」を四つの象限に分ければ、西田は「反自然主義・反実在論」の陣営に位置付けられる。ここで自然主義とは人間的事象も自然現象の一つに過ぎないという見解であり、実在論とは人間の認識から独立な客観的構造が存在するという主張である。西田の「身体的自己の作為を離れて、物理的世界と云ふものはない」という言明は反実在論の証である。西田の「後期」の考察において数学では「直観主義」に、また物理学では「操作主義」に共感を示している。「すでに存在しているのではないが、言うなればわれわれが探りを入れると存在してくる数学的存在」であるとして数学的プラトニズムを否定的に見ていた。また物理的概念をそれが操作を離れて、物そのものの性質であるかの如くに考えることを批判している。野家は最後にダメットの「われわれの研究は、以前に存在しなかったものを存在せしめるが、しかしわれわれの研究が存在せしめるところのものは、われわれ自身がつくったものではないのである[*9]」という見解を西田に重ねている。

『善の研究』

西田を著名にした『善の研究』（初版一九一一年）の序に次の一節がある。「純粋経験を唯一の実在としてすべてを説明して見たいというのは、余が大分前から有っていた考であった。初はマッハなどを読んで見たが、どうも満足はできなかった。そのうち、個人あって経験あるにあらず、経験あって個人あるのである、個人的区別より経験が根本的であるという考から独我論を脱することができ、また経験を能動的と考うることに由ってフィヒテ以後の超越哲学とも調和し得るかのように考え、遂にこの書の第二編をかいたのであるが、その不完全なることはいうまでもない[*10]」。

また『善の研究』の第三版（一九三六年）の「版を新たにするに当たって」なる序の一節に次の記述がある。「フェヒネルは或朝ライプチヒのローゼンタールの腰掛けに休らいながら、日麗に

＊9　マイケル・ダメット『真理という謎』藤田晋吾訳、勁草書房、一九八六年（原著一九七八年）。
＊10　西田幾多郎『善の研究』岩波文庫、一九五〇年。

花薫り鳥歌い蝶舞う春の牧場を眺め、色もなく音もなき自然科学的な夜の見方に反して、ありの儘が真である昼の見方に耽ったと自らいっている。私は何の影響によったかは知らないが、早くから実在は現実そのままのものでなければならない、いわゆる物質の世界という如きものはこれから考えられたものに過ぎないという考を有っていた」[*10]。これは昭和一〇年代、戦争の足音が聞こえ始めた時代の知識青年を魅了した文章である。

ここに登場する科学者のエルンスト・マッハ（一八三八—一九一六）やフェヒネル（グスタフ・フェヒナー　一八〇一—一八八七）の名が注意をひく。マッハは物理学で大学卒業後、医学生に物理学を教えて生活を支えていた時期もあり、医学には早い時期から関心を向けていた。フェヒネルの『精神物理学要綱』（一八六〇年）から大きな影響をうけた。これら科学者は西洋哲学の主流の論議からすれば傍系である。

田辺元と桑木彧雄

西田は科学や数学に関する情報を主として田辺元（一八八五—一九六二）と桑木彧雄（一八七八—一九四五）から得たとされている。田辺は東大数学科に入学した後に哲学科へ転科した哲学者であり、東北大学理学部で本邦初の科学概論の講義を行った。この頃から西田と交流があり、一九一九年には京大に迎え入れられ、西田と並ぶ京都学派を代表する人物となった。とくに彼の一九一八年初版の『科学概論』（岩波書店）は二十数版まで版を重ねるロングセラーであった。

他方、京大文学部哲学科創設に関わった桑木嚴翼は或雄の兄であり、西田はその後継として京大に赴任した。桑木或雄は当時の日本の物理学者としては珍しく欧米での科学の哲学的論議の動向をつぶさに追っており、それを日本の哲学者と議論したいという指向があり、兄との繋がりを活かして西田との交流が始まったと思われる。

桑木の稀有な留学体験

桑木或雄は一九〇七―〇九年にベルリン大学のプランクのもとに滞在した。当時の東大出身者のこうした海外経験は通例であったが、語学に自信のあった桑木はこの機会に稀有な体験をしている。在欧中にマッハ（ウィーン）、ポアンカレ（パリ）、ローレンツ（ライデン）という当代の著名な物理・数学の理論家を訪問したほか、論文で名が知られたがまだ誰も接触したことのないアインシュタインをベルンに訪ねている。後に桑木はこの訪問の様子を次のように記している。
「1909年3月11日の午後、私は、スイス旅行の途中、ベルン市の［…］特許局に申し出で、アインシュタインに面会を求めた。学生の気楽さに、紹介状もなく、予告もなく突然の訪問であったが、やがて彼はあらわれ、かぜを引いていて失礼だが、と無精鬚を気にしながら、3時間のひまを得たから、といい、共に町へ出で、一喫茶店でしばらく話した。［…］午後招かれるままにその宅に行き、夫人にも遇い子息をも見た」[*11]。

アインシュタインはこの直後からチューリッヒやプラハの大学教授に招聘され、最終的にプランク等の肝煎りで一九一四年にベルリン大学教授におさまるのであるが、一九〇九年当時はまだ素性の知れぬ男だった。桑木がベルリンに帰るとプランクから「アインシュタインはユダヤ人か？」と聞かれたという。一九〇五年の特殊相対論を最初に評価したのはプランクであったが、彼にとってもまだ素性の知れぬ男だったのである。桑木は超大物のマッハ、ポアンカレ、ローレンツ、プランク並みにアインシュタインに会いたいと思ったわけだが、ドイツの物理学者と一切関係なかったアインシュタインにとっても桑木の訪問は面食らうことだった。それ故にアインシュタインは桑木に強い印象をもち後々まで交流があった。一九二二年の日本訪問時には石原純と一緒に桑木も親しくアインシュタイン夫妻をエスコートした。

西田と桑木彧雄

矢崎彰「西田哲学の形成に及した現代物理学の影響についての思想史的考察」[*12]において桑木の存在は次のように指摘されている。「1908年、マックス・プランクがオランダのライデン大学で行った「物理学的世界像の統一」と題する講演でマッハの経験論を批判し、これにエルンスト・マッハが応えたことから両者の間で、物理学の方法と哲学上の認識論をめぐる論争が展開された。物理学と哲学の両分野に亙るこの議論を逸早く日本に紹介したのが桑木彧雄であった。桑木は既に「説明と記載」（『理学界』第四巻一号、１９０６年７月）で、キルヒホッフやマッハの議論を取り上げて、自然科学を説明的（Erklärende）科学と記載的（beschreibende）科学に分類する物理学界の動向を紹介していたが、「物理学上認識の問題」（『理学界』九巻九号、１９２１年３月）で両者の議論を取り上げている。マッハの自然科学的認識論は、諸々の感覚の外に事実や実在というものはなく、感覚的事実を思惟を最も経済するように模写するのが科学的認識の問題であり、形而上学的要求を排除すると主張するもので、一方、プランクの実在論は、形而上学要求を是認し、感覚から超脱する不変の認識を得るのが科学者の問題であるとするものである[*12]」。

プランクのマッハ批判

一九世紀末、欧州での科学研究の急拡大を背景にして、従来の学問世界とどういう関係にあるのかを科学者の側からの発信がなされた。この急拡大によって宗教界や従来の教育界との軋轢が顕在化していた背景がある。科学者が広い教養層に説得的に語りかける講演を行い、それを一般

＊11　桑木彧雄『アインシュタイン』桑木務・西尾成子増補、サイエンス社、一九七九年。
＊12　矢崎彰「西田哲学の形成に及ぼした現代物理学の影響についての思想史的考察」『比較思想研究』二一巻（一九九四年）、八三―八九頁。

書として公刊して多くの読者を獲得した。マックスウェル、ヘルムホルツ、キルヒホッフ、ヘルツ、マッハ、オストワルド、デデキント、ポアンカレなどの著作である。

桑木の欧州滞在中にあった「プランクのマッハ批判」は中央ヨーロッパの学界に衝撃を与えた。批判したプランクはベルリン大学学長の要職にあり、一方マッハはもう引退した七〇歳の老人であるがひと時代遡れば新興科学の輝ける推進者として多くの青年を魅了した往年の名士であった。二人には二〇歳もの年齢差があり、プランクもアインシュタインもみなマッハを読んで科学の道に入ったのであった。桑木にとってはともに私淑する教師の間の亀裂は困惑であると同時に学問的覚醒でもあった。

「プランクのマッハ批判」については私も論説をいくつも書いている。[*13][*14] 桑木や矢崎の記述には認識論上の対立とされているが、私はその背景には急拡大した当時の科学界の社会的状況にも関連しているという見方を提起している。そこからマッハ、プランク、ポッパー、クーンの四つ巴の相関図を提起している。[*13] 一九〇八年の時点から見れば第二次大戦後の東西冷戦を経て科学業界は一〇〇倍の規模に拡大している。この現実の中で西洋近代の古典的パッケージの結束がゆるみはじめ、西洋科学が新たな様相の科学に転移していく可能性がある。前著『「メカニクス」の科学論』[*15] で提起した課題を「プランクのマッハ批判」から再論してみたいと思う。

日本でも科学を教養文化に

当時の日本の科学界は具体的課題での実験や計算の研究実践に必死であり、学問世界の中での科学のステータスに関心を向ける余裕などなかった。また科学の急成長に脅威を感じる伝統的な宗教や教育の権威も不在であった。ようやく大正（一九一一年―）に入った頃から、科学を富国、強兵、殖産、衛生、医療などの文明開化の道具とするだけでなく、それを包摂した新たな教養文化を創造しようとする動きも現れてきた。彧雄の兄巖翼はこうした動向の推進者であった[*16]。

桑木は物理学の研究では相対論の大学での教育や一般への解説を旺盛に行い、アインシュタインの研究動向の報告者であり、一九一一年九州帝国大学教授に就任している。桑木は留学前からマッハの『力学の批判的発展史』（初版一八八三年）を読んでおり、「実験と計算の科学」自体をメタ的に論ずる欧州の新潮流にいち早く取り組んだ。一九四一年に日本科学史学会が創設されたと

＊13　佐藤『職業としての科学』岩波新書、二〇一一年、第三章「科学者精神とは――マッハ対プランク」。

＊14　佐藤『アインシュタインの反乱と量子コンピュータ』京都大学学術出版会、二〇〇九年、第六章「量子力学とマッハの残照」、第七章「「非決定」のウィーン」。

＊15　佐藤『「メカニクス」の科学論』青土社、二〇二〇年。

＊16　林正子「桑木巖翼の〈文化主義〉――提唱の必然性と歴史的展開」『岐阜大学国後国文』No. 27（二〇〇〇年五月）、三七―五九頁。

きは会長に就任している。

西田と桑木の交流

桑木が積極的に西田に情報を提供していた様子を伝える西田の書簡が残されている。

「拝啓　御令兄を通じて御論文「熱力学の方法」御贈り被下難有奉謝　候〔…〕キルヒホッフの考が物理学に大なる効果を与えたことにつきて小生には新らしき知識を得たることを悦び候併し御考の如く記載というも説明というも要するに我々の知識構成の同一なる方向より出で来るものにはあらざるかと存じ候　小生などは何故に beschreiben し得ざる純粋経験を beschreiben しうるか　自然科学的知識はいかにして可能なるやなど考え度存じ候　田辺君の詳密なる議論も面白くよみ候　左様の問題を論せるものにて面白きもの之有候わば御知せ下度願上候　また従来の御論文は御纏め被遊候御考なきか〔…〕西田幾多郎　桑木彧雄坐下[*17]」。これは西田の「純粋経験」に関係して、マッハやキルヒホッフの「説明的」と「記載的」を対抗軸とした経験主義的な存在論の論議を西田に情報提供しようとしたものである。

次はアインシュタインの初来日が話題になった年のものである。

「今度のアインシュタインの考え方などは、私のこういう点から便宜になったという事でなく、物理学として非常に面白い Idea と思います。物理学として誠に深いところまでいった、ここからすぐ哲学と結合するのではないかと思われます。ア氏自身は自分の考えのphil. Bedeutung［哲学的意味］というものを知らぬのではないかと思います。Newtonとて決して自分の物理学のPhilos. Bed.を知ったのではありませぬ。どうも乱暴に無遠慮に幼稚な考えをかきつけました。何時か又御目にかかった時ゆっくり御高教を仰ぎます。西田　桑木学兄[*18]」。

この頃になると西田は「科学の哲学」に対するものに些か冷淡になり、むしろ科学そのものの革命的展開に興味を持っている。宗教や価値をふくむ人間にとっての真理と科学的真理との質の違いを感じたといえる。ただ論理については数学において繰り広げられていた「直観主義」「論理主義」「形式主義」の論議には本格的に取り組み、ブラウワーの直観主義に自己の「行為的直観」を重ねていたと野家はみている[*8]。

＊17　『西田幾多郎全集』第一九巻、岩波書店、二〇〇六年、書簡２６２（一九一四年二月一四日）。
＊18　『西田幾多郎書簡集』藤田正勝編、岩波文庫、二〇二〇年、書簡72（一九二二年八月二六日）。

第 11 章

荒木俊馬のリベンジ

——戦時下「日本精神」と科学者

戦時下の常套句

「日本が滅びても後々安楽に暮らせさえすれば良いなどと誰も考えないでしょう。日本という国が無くなってしまう位ならば、この際もう日本とともに玉砕する方が良いと考える。その考え方の方が私等の考え方ではないでしょうか。今日本は、例えばアメリカに征服せられて、その結果日本人がどんなに物質生活で豊富になろうとも、そのために降伏する方が良いと考える日本人があるだろうか。日本が滅ぶる位ならば国民1人だって残って安楽な生活をしようと思うものはない。そこに何かやはり日本人が祖先伝来持ったところの本当に日本精神と言うものがありませんか」「戦場において最後までベストを尽くして、後は降参して名誉の捕虜になると言う考え方がアメリカ式の考え方でしょう。捕虜になるくらいならば自決するとか玉砕すると言うような考え方、それはもう人事不肖になったところを捉えられたと言う場合でも、後でまた腹を切って死ぬ、そういう思想、そこに日本精神の日本精神があるのだと私は信じます[*1]」

「おまえ日本人だろう?」

いっけん「一緒に考えてみよう」と問いかけるようで「誰も考えないでしょう」と即座に自明のこととして話が先に展開していく。「おまえ日本人だろう?」と問われ、外国には行ったこともないのだから「そうです」とつい答えると、何故か日本精神の満ち溢れた人間にされて「それなら腹を切って死ね」に導かれる。

この前の戦争ではこんな漫才のようなトンチンカンな馬鹿げた対話儀式で多くの人が生活を破壊され、命を落としたのである。日本全国津々浦々で、村役人、軍役人、教員などの徴用の役目を担わされた人はこういう上から畳み掛ける論法で押し切ったのだ。当時、多くの国民は書類や文書を見る仕事とは無縁であった。整った綺麗な文字の文章を示されると、変だと感じてもそれを言語化できない我が身の無力さを悟らされた。お国の役人たちは旧制中学以上の学歴のある人だし、彼らには口答えする術もなかった。日本人なのに日本精神などを考えることをサボってきた我が身の至らなさに恥じいって、黙るしかなかった。

＊1 「日本的科学の建設――若き科学徒に語る」『新若人』一九四四年三月号、旺文社、三三―五七頁。この雑誌は一九四〇年創刊。

「科学と日本精神」

冒頭の文章はそんな当時の庶民が押し流されていった村役場での光景を彷彿させるものがあるが、実はこの文章はある鼎談の記録であり、喋っているのは荒木俊馬、聴いているのは湯川秀樹と伏見康治である。敗戦の陰が見え出した一九四四年初めの頃である。現代の感覚でこんな文面を批評してみても仕方ないが、これが田舎の村役場の光景ではなく、最高学府の帝大教授達三人の座談会であることを知ると、時代の恐ろしさを感じる。またこの三人はアインシュタインに象徴される二〇世紀に勃興した相対論と量子論という最新学問を日本で担う物理学の俊英達である。

荒木はこの頃「科学と日本精神」のイデオローグとして活発に活動しており、この座談会もある雑誌社が荒木に企画を持ち込み、湯川と伏見は荒木に言われて〝しぶしぶ〟出てきた感じである。理論物理での先輩である以上に、断ると当局に目をつけられるご時世である。さらに想像逞しくすると、湯川は前年の文化勲章受章で一般にも時の人になっており下手な発言はできないので、阪大時代の同僚でハッキリものを言う伏見を加えるよう荒木に提案してこの鼎談になったのかもしれない。この企画のきっかけは湯川の「受章」にあったことは間違いない。

因みに一九四三年の文化勲章親授式は四月にあり、受章者は七名であった。[*2] それから少し経った六月に大日本言論報国会の第一回定例総会があり、その場に受章者のうち徳富蘇峰、三宅雪嶺、湯川の三名が報国会[*3]の会員として招待され、祝賀会があった。徳富や三宅は日本精神の第一人者として広く知られたオピニオンリーダーである。この年の受章者は他に建築家、画家、それに二人の自然科学者であるが、彼らは報国会の方には関係ない。国家に顕彰された文化人がみな報国会の会員なのでもないから、なぜ湯川だけが徳富や三宅と並ぶのか奇妙である。報国会立ち上げ自体が政府主導で情報局が会員候補リストをつくって入会を勧誘し、湯川は断れず会員になって

＊2　文化勲章は一九三七年に創設され、第一回受章者は九名だが続く二年は受章者なしで、一九四〇年が四名、続く二年がまた受章者なしで、一九四三年が伊東忠太（建築学）、鈴木梅太郎（農芸化学）、朝比奈泰彦（薬学・植物化学）、湯川、徳富、三宅、和田英作（洋画）の七名である。徳富は一九四六年に返上している。一九四四年は六名、一九四五年なし、一九四六年六名、一九四七年なし、一九四八年五名、一九四九年八名、一九五〇年からは途切れることなく大体七名である。ドイツ・ワイマール期に廃止になった栄典制度をナチスが復活して政治に活用したが、その中に文化・学術章というのがあり、日本がこれに倣った可能性がある。

＊3　評論家の翼賛組織で一九四二年末に設立、徳富蘇峰が会長。機関紙『言論報国』を発刊。

＊4　佐藤文隆「「昭和反動」下の〝科学〟と〝科学的〟」『歴史の中の科学』青土社、二〇一七年、「司馬遼太郎の昭和、「行としての科学」」『科学者、あたりまえを疑う』青土社、二〇一六年。

＊5　佐藤文隆『「メカニクス」の科学論』青土社、二〇二〇年。

いたのであろう。

次章に述べるように、京都での新村猛らの『世界文化』グループに治安維持法違反容疑がかけられ武谷三男を含むメンバーが逮捕されたことがあった。武谷は坂田昌一等に続く湯川の学生で中間子論の共同研究にも参加することになる。『世界文化』の配布先に湯川の名があり特高の監視リストに入っていると本人は考えていた節もある。荒木は報国会の理事、京都支部のアクティブで、『思想戰と科学』（新太陽社）、『日本精神と日本科学』（恒星社厚生閣）などの著書も出し、青年たちを戦争に立ち上がらせるために活動していた。

「日本的科学の建設——若き科学徒に語る」

どんどん横道に逸れたので冒頭の文章に帰ろう。雑誌『新若人』一九四四年三月号に掲載されたもので、タイトルは「日本的科学の建設——若き科学徒に語る」とある。初めに企画した記者の「戦争が激化するに伴い今日ますます要望される事は国体の明徴ひいては必勝の信念の堅持と戦力の増強でありますが、それと並んで戦力の母体となる科学を飛躍的に強力にする、米英を圧倒する日本的科学の建設であります。では日本的科学とはいかなるものか、それを学徒青年に、特に若き学徒に説いて」頂きたいとの趣旨説明で始まる。予め準備してきたテーマを記者が問いかける形で進行している。

荒木のモノローグ「科学は西洋のものではない」

荒木は「近頃日本的科学だとか、日本精神と科学だとか言うようなことになると、なんだか僕が専門家でもあるかのごとく、いろんな方面から言ってこられて実は少々迷惑しているのです」と同業者を前に少し照れてみせ、その後に全体の四分の一にもなる長いモノローグが続く。今は戦時下の時局的テーマだが、日本と科学の問題は若い時から自分が悩んできた課題だとして、ドイツ留学あたりから語りはじめる。確かに海外留学で環境が変わると、自省的になるもので、学問の意義や自分の役割が気になった。また当時のヨーロッパでも長足の科学の進展を背景に科学の認識論、哲学、思想などが *Nature* などの科学の専門誌でも論議されていた。留学前からドイツ語、フランス語に堪能だったという荒木は一九二九年から二年半程の欧州滞在を学問はもとより、芸術方面でも人一倍満喫し、またナチス台頭の政治状況も目の当たりにした。帰国後、満州事変から次々と起こる事変で世は戦時下となり、自分の役割を考えたという「科学に就いての種々の疑問」を吐露する。そして座談会のテーマに関し「何も私は日本精神と言うものと自然科学と言うものとの関係を解決したとも思わんし、また今までの自然科学は西洋の学問だから、これから全然別個な日本的な自然科学を作らんといかん、そういうことを言うのでは無いのです。もちろん自然科学と言うものはただの自然科学でありましてヨーロッパの学問であると考える人がありますれば、それは大変間違っていると思うのです。ただ西洋人が少し古くからやった先輩だと言うだけのことで、自然科学はただの自然科学で西洋のものと言うのは語弊があるでしょう[*1]」。

戦争への科学動員は手段で

全体を通して湯川と伏見は短いコメントしか発言していないが、初めの方での湯川の発言の基調はこうだ。歴史をみれば中国やインドの文明文化の中で科学の位置づけが西洋と大変異なっていた。日本も東洋の文化の中で発展したから科学との関係はヨーロッパと違う。しかし明治以来、科学が日本に取り入れられて特に支障がなく発展しているし、日本精神と矛盾するものではない。特に科学は手段であると常識的に考えれば、現下の課題としては十分である。大東亜共栄圏とか長期の文化の問題などはもっと根本的な考察が要るかも知れないが今はその問題ではない、という手段説で通している。伏見も手段説に賛成し、科学は現実と結びつけ、形而上学と関係させないのが日本精神だと踏み込む。荒木は西洋では科学が唯物論や唯物史観という形而上学を産んだと応じ、湯川は、互いに関係し合うが、科学と思想は別ものだと強調する。荒木が進化論を出してきて宇宙進化と絡めた話を一席やるが、伏見は「進化論という方法」だと応ずる。この辺りは今でも興味をひく「知的な対話」である。

科学は方法であり、思想によって科学の内容が違ったりしないとなると企画としては面白さがなくなるので、記者はその方法を選ぶところに日本的な思想や精神が介入しないかと食い下がる。しかし荒木もそこは「日本の」とかでなく研究者個人のレベルになるといなす。記者は日本刀の精神性を持ち出したりしてなんとか日本精神に結びつけようとするが荒木が一人で喋って記者を諌めている。次の「日本的科学とは如何なるものか」でも荒木が一人で記者を相手に「日本的」に対して否定的なことを言う。次の「戦争に於ける科学のやくわり」については、科学が勝敗の重要な要素だと三人が一致、湯川は戦争では量が問題だとして流れ作業とかエンジニアリングの課題も指摘。「日本人の科学的才能」では荒木が江戸の天文家・麻田剛立の足跡を披露し、教育の大切さ、米国科学はユダヤ人のものだ、などの話題が続く。

「科学の将来性に就いて」で炎上

そして次の「科学の将来性に就いて」では伏見が新領域に拡大していき際限なく生き長らえていくと説き、湯川も人間の生活が広い意味で科学的になるとする。それを荒木が引き取って「生活とは物質的、衣食住のことですな」と言ったのに伏見がいや「精神的な面に於いてもそうだと思う」と発言すると、荒木の態度が急に怒りのモードにトランスして、次のように炎上する。

「私としてはそれはあまり賛成できませんね。悪く評するならば例えばオットセイに芸を仕込むのに動物心理学的なやり方をする、また警察犬だとか伝書鳩とかを訓練するのに動物心理学を応用するといったことと一脈相通ずるといったら語弊があるかもしれませんが。それと同じような風に人間を生物の1種だと考えてその習性や群衆心理を利用して、つまり社会心理学的な科学によって、精神的団結を鞏固にするとか、軍隊教育を徹底するといった、そういう考え方には私はどうも賛成できません」「絵画とか彫刻とかいったような造形美術にしても、音楽や芝居など皆これ芸術ですが、そう言う而も高尚な芸術が人間を感動せしむること、これを単に心理学的な効果だけから説明しようとするのは、あまりにも科学万能主義ではないでしょうか」「日本の強み、日本精神力の強みというものは軍隊教育がそういう心理科学的な方法によって居るからだとは到底私には考えられませぬ。もっと深い精神的なものが必ずあると私は確信しています。そう考えないと私は日本人としてとても生きて居れませぬよ」[*1]。そしてその後に冒頭の文章のような、ある意味で素朴で根底的な、真情の吐露となるのである。確かにここは「科学」と「科学的」の差という今でも論議になるところである。また本書との関連では、「近代」とパッケージされた西洋科学から「近代」を外して裸の科学を取り出し、それに「日本精神」の衣を着せられるのか?というテーマに挑戦したと言えるが、それにしてはここの「日本精神」は粗雑すぎる。「近代の超克」や橋田邦彦の「行としての科学」では日本の伝統文化との繋がりを試みているが[*4]、荒木の「日本」は明治即製のものである。裸にされた科学は「メカニクス」に通ずるものだ[*5]。

「宇物」とオリンピックの選手と「産大」

それにしても荒木とは何者なのか？　時代を二〇年ほど飛んだ一九六〇年代初め、私の院生の頃に話を移す。京大理学部門から入って銀杏並木を北にしばらく行くと十字路にであうが、この十字路の南西角が「宇物（宇宙物理）」だった。二階建ての小ぢんまりした建物で、正面入り口の真上の屋上に望遠鏡のドームがあり、どこか中都市の子供向きの科学館を連想させる格好だが、中は派手なイベントの後片付けができず放置されているようなすえた匂いが漂っていた。

十字路の北東角は食料研究所で、その北側にやはり二階建ての物理学教室があった。十字路を西に行くと百万遍の寺の裏にでるが、その北側に農学部の農場と接した馬場があった。疾走できる広さはなく、障害物競技の練習場の様だった。練習している長身の男は、宇物に籍を置く荒木雄豪という馬術のオリンピック選手で、父親は上賀茂に開学した京都産業大学（産大）の学長荒木俊馬で、俊馬はかつて宇物の教授だったと知った。当時の京都人の常識ではあんな所に敷地があるのかという感じだが、森友学園ではないが、国有地の山林を譲り受けて切り崩して土地をつくる土木力が常識を変えていたのだ。

産大は当初から物理と数学の理学部があり、就職先が増えるのは朗報だが、右翼の大学らしいという評判でもあった。六〇年安保の熱気がまだ冷めやらぬ時期で、京都は府も市も革新首長の牙城なので、何処かしっくりこないニュースであった。世は経済成長で高等教育は急拡大、産大も時流にのって拡大、湯川研からも就職者が出て、一九七〇年代の初めには創設時の「右翼」レッテルはもう意識されなかった。人材育成で産業界が大学設置に動き、学的な装いをつけるために京大を定年退職した教授を担いだぐらいの認識だった。

アインシュタインと荒木

次に荒木の名に出会うのは一九七九年のアインシュタイン生誕一〇〇年の頃である。私はブラックホールの研究者として一般の人たちに講演する機会も増え、話を面白くするために、アインシュタインの生涯についての知識を増やしていた。すると一九二二年の夫婦での来日を知り、更に細かく見ていくと、アインシュタインの京大訪問の時に学生を代表してお礼の言葉をドイツ語で述べたのが三年生の荒木であり、その見事さに感嘆したことがアインシュタインの日記に書かれているのを知った。[*6] この前から荒木の才能に宇物の教授・新城新蔵が目をつけていて、東大での専門家向け講義にも出席させ、学生代表に選んだのも新城だった。学部卒業後すぐに講師として残し、自分の娘と結婚させて助教授に、さらに一九二九年から二年半ほどドイツ留学、旅立つ頃に新城は京大の総長に任命されたので総長の娘婿という立場になり、帰国後すぐに新城の後任教授に就任した。荒木は新城のおめがね通りに逸材であった。ドイツ行きの直前であったが、量子力学誕生の海外の動きも貪欲に勉強して講義をし、当時物理の三年生だった湯川、朝永らはその講義を宇物に行って聴いたという。

荒木部屋で勉強した我が師の林忠四郎

それから少し経った一九八〇年の頃、私はようやく荒木の全体像を知った。それは私の師の林忠四郎から、還暦記念の折に聞いた研究歴の中で、荒木本人ではないが荒木部屋がでてくるのである。[*7] 二〇年ほど林の側にいたが初めて聞く話だった。東大物理の学生だった林は学徒動員で海軍にとられ、終戦で自由になるが東京での生活は大変なので、実家の京都に戻り京大の湯川研究室に籍を置いた。兵役解除組で研究室は一杯だった。この頃物理の湯川は宇物の講座を兼担しており、林はそちらの空き室に入った。なぜ兼担していたかというと終戦直後に担当の教授が戦時中の言動に責任をとって辞職したからであったが、その教授が荒木なのである。林は戦後の混乱で指導もない中、荒木部屋に備えられている宇宙物理の文献を自学自習して研究者のスタートを

＊6　金子務『アインシュタイン・ショックⅠ』岩波現代文庫、二〇〇五年、二三八頁。
＊7　林（一九二〇―二〇一〇）は京都市生まれ、三高から東大物理に進み、そこで南部陽一郎と同級であった。一九四二年学徒動員され、海軍で終戦を迎え、戦後は京大湯川研に入る。ビッグバン元素合成、星の進化、太陽系形成論などの業績で文化勲章、京都賞受賞。佐藤文隆編『林忠四郎の全仕事』京都大学学術出版会、二〇一四年を参照。

切る。だが湯川の素粒子論ブームの中、林も素粒子の研究に転じて頭角を現して湯川研の助教授に抜擢される。その後湯川は原子力政策で新設された核エネルギー学講座の教授に林を推薦し、その後林は宇宙物理で世界的業績をあげ、その研究室は多くの人材を輩出した。私はその研究室を引き継いだ二代目の教授であった。

「学祖」荒木の劇的人生

本章の前半の一九四四年の座談会の荒木とここで結びつく。そしてこの後の敗戦で、腹切よろしく、帝大教授を四八歳で辞職し、C級戦犯で公職追放になるも、日本が独立した一九五一年には解除になり、そこから大学建設という荒木の第二の人生が始まるのである。いま産大のHPを覗けば「学祖」荒木の生涯の豊富な資料が展示されている。生涯は四つに区切られる、第一期は、誕生から京大宇物で学ぶまで（二三歳）、第二期は宇物での研究と教育（四八歳）、第三期は、兵庫県境に近い京都府夜久野の農村で晴耕雨読の生活（六八歳）、第四期は、産大創設への奔走と基礎づくり（八一歳）。荒木は地元熊本の済済黌で日本を担う精神が注入された。一〇年若く、都会のインテリ家庭出身の湯川とは大きく精神性が異なる。少年荒木にとっての世界は圧倒的な力で日本に襲いかかる世界であるが、丸善で洋書に憧れた少年湯川には世界は自らそこに入っていく世界であった。荒木は広島高等師範をへて滋賀県の教員になるが、すぐに辞めて京大に入学する。

辞職の経緯を知らないと第三期は今では多様なライフスタイルの先進例のように映る。

A級戦犯荒木貞雄も発起人

二〇二一年七月に亡くなった反戦・護憲のノーベル賞学者益川敏英は京大定年後産大に移り受賞時は産大の教授であった。創設時の「右翼の」といった面影はないが、創設当時の記録を見るとその異常さが見えてくる。設立趣意書や発起人の顔ぶれを見るとあの時期にこんな世界もあったのかと驚くものがある。「設立趣意書」には「特に建国以来の日本の歴史と美しい道義的伝統を重んじ、日本民族の団結と祖国の独立、防衛の精神に徹した真の日本人」として世界に通用する、「祖国日本の国家社会に対して責任、義務感に徹する真の自由民主主義の愛国的日本人を養成する」。設置の審査に抵触しないことに気を遣いつつ祖国、防衛、愛国といった文字を出すあたり、戦前の荒木は健在である。荒木は「担がれた」のではなく、GHQに押さえつけられていた怨念のマグマが充満している同志を説得して開学に持っていったのである。発起人にはあの皇道派の陸軍大将でA級戦犯の荒木貞雄がいる。[*8] 荒木貞雄は文部大臣として大学に軍事教練を持ち

＊8　発起人には荒木貞夫、荒木千里（俊馬の弟、京大医学部教授）、伊部政一、植木光教（代議士）、後宮淳（京都出の陸軍大将）、江頭恒治、大石義雄（京大法学部教授）、大野伴睦（代議士）、小川半治（代議士）、源田実（自衛隊出身の代議士）、斉藤忠（元「報国会」総務局長）。

込むなど戦争への動員の張本人であった。当時の自民党も安保闘争のムードを反転させるために所得倍増に看板を入れ替えているときであるが、開学の前年には建設現場に岸信介前首相（当時）を招き、学生に配る学生要覧には岸の写真入りで「期待の言葉」を載せている。

規模拡大で財政的にも余裕がでたのか荒木はトインビー、ハーマン・カーン、サミュエルソン、ヴァイツゼッカーなど世界的著名人を招き、またコペルニクス生誕五〇〇年記念でポーランド政府の招待を受け、一九七六年には社会主義国の最高功労十字勲章を受賞している。こうして学者としての本望も叶えて一九七八年に八一歳の生涯を閉じた。

騒々しい宇物　総長と二人の辞職者

京大理学部の宇宙物理学科に話を戻す。宇物は新城に始まり観測面で山本一清[*9]を迎え、理論面は荒木に引き継いだ。この山本も一九三八年に四九歳で教授を辞任している。表向きは学外での金銭トラブルに対し大学へ訴状が出されたことによる教授会の辞任勧告だが、新城との確執も噂されていた。発端は花山天文台創設時に土地は寄付となったのに、文部省からの購入予算を返却せずに、新城が荒木のドイツ留学費用の一部に流用したというのだが、娘婿へに提供したとみるか、海外事情の調査を助教授に命じたとみるか……。新城が急に総長になったので、その後任で台長になった山本が気づき、新城に是正を迫ったが、相手はお上の任じた総長である。その内に学外での自分の金銭上のトラブルで訴えられ辞任した。山本は退職後もアマチュア天文学の振興に活躍した。大正から昭和にかけて財を成した事業家が天文台を作るのが欧米文化の趣味の一つとして流行り、結構大きなお金が動いたのである。

山本辞任の頃、上海自然科学研究所の所長として現役だった新城が中国で客死した。例の日本軍の南京侵攻後の紫金山天文台の復興を軍の特務機関と取り組んでいる最中の赤痢での急死だった。新城は宇物時代に古典中国天文学史にも取り組み、その伝統は人文科学研究所で続いている。あの〝小さな〟宇物なのに、その戦前史は総長輩出、教授二人辞任と、騒々しい小史である。彼らは、みな学問に埋没せず、国家・社会に学問をいかに活かすかで行動したのだが、その騒々しい熱気は後輩たちに反面教師となり、〝語り難い〟痛みを残したのである。

＊9　山本（一八八九―一九五九）は滋賀県出身、旧制中学卒業後教員になるが、転じて三高、京大に進み、宇宙物理学専攻の一期生。一九二二―二五年、米国を中心に欧米に留学、帰国後教授。助教授の時から学外のアマチュアの天文同好会を組織し、京大辞職後は滋賀県の実家に天文台を作り、この会を発展させた。戦後は衆議院選挙、知事選に出るも落選。

第 12 章

武谷三男とロマン・ローラン

——「科学」を科学的に

アメリカ亡命未遂？

「アメリカの物理学者たちも反ファッショ的熱意・人道主義的熱意においては決して劣るものではなかったのである。原子爆弾で中心をなしたバークレーの理論物理学者オッペンハイマー教授は太平洋の危機が迫った頃、わたしが日本のファッショ的状況の下で困苦していることをきいて、わたしがアメリカで研究を続けるためにフェローシップを用意しようと尽力されたけれども、戦争の勃発のためにこれは実現されなかった。わたしはこのことについて教授に限りない感謝をささげ、教授の反ファッショ的熱意に尊敬をいだくものである」[*1]

原爆開発

一九四一年一二月の日米開戦前、特高警察の検挙歴がある武谷三男（一九一一―二〇〇〇）をカリフォルニア大学バークレー校に迎える話があったという。ヨーロッパで勃興したファシズムやナチズムの迫害から亡命してきた多くの学者をアメリカ各地の大学が受け入れていた。この人道主義的熱意は原爆製造に向けた熱意と同じものであるとする文脈の中で、自分自身の体験を披瀝している。戦後、GHQの報道規制が解けて広島・長崎被曝の実相が知られて以後では、原爆は民主主義勢力の勝利の宣言だとする彼の論評が物議を醸したものだが、自身のアメリカ亡命譚には初めて気づいた。

武谷の論評には自分の体験はあまり記されておらず、この「私の思い出」の一節は異色である。[*2]一九四四年から敗戦時にかけての二度目の検挙の際に「尊敬すべき自由主義者渡辺慧君は自分の危険も省みず、敢然として八方手をつくして、原子爆弾研究をたてにわたしの釈放を当局に対して要求してくれたけれども殆ど問題にならなかった」。この後に体調を崩して自宅に返され、通いで尋問を受けていたが、八月七日に渡辺を理研に訪ねて広島のことを聞き、翌日出頭した際には原爆について検事たちに講義したという。「わたしは家内に戦争はあと一週間で終わる」と語った。武谷の文章に「家内」が登場するのは珍しい。

＊1　武谷三男「原子力時代」『続 弁証法の諸問題』理論社、一九五五年。
＊2　後に口述をおこした経験談がある、武谷三男『思想を織る』朝日選書、朝日新聞社、一九八五年。

中間子論とサイクロトロン

カリフォルニアにも伝わっていた武谷の検挙歴とは京都での一度目のもので、まだ駆け出しの若い研究者の境遇の困苦が開戦直前の米国の一角で語られていたとは信じ難いことである。しかし、湯川秀樹の中間子論と仁科芳雄のサイクロトロンという背景を知ると、この武谷亡命未遂の信憑性は高まる。オッペンハイマーといえば原爆の父となる理論物理学者であるが、冒頭の引用で語られているのは彼が原爆計画の指導者としてロスアラモスに赴く以前のことである。もし真珠湾奇襲がもう少し後で武谷がここで亡命していたら、その後オッペンハイマー研究室の多くがロスアラモスに赴くから、武谷も原爆製造に参加していたかもしれない。

中間子論とオッペンハイマー

湯川中間子論の論文は一九三五年だが、一九三七年に中間子の質量の素粒子が実験で発見された。その時にいち早くこれを湯川論文と結びつけたのがオッペンハイマー・ザーバーとシュッテケルベルグ（スイス）の二つの論文であり、これで世界のユカワになった。湯川も第一論文の展開を行い、一九三七—三八年の間に三つの続篇を発表する。初めの二篇は湯川・坂田昌一・武谷、三篇目には小林稔が加わる。オッペンハイマーはタケタニの名をこれで知った。

さらに当時この研究室の多くの研究員が反ファシズムの熱意に燃えていた。この事実は原爆誕生の大事件により後に暴露的にハイライトされている。彼らはバークレー近くのサンフランシスコやオークランドの港湾労働者とも連携して、フランコ政権の暴虐に抗議して国際義勇軍を送る運動などに参加していた。このスペイン内戦でのドイツ空軍によるゲルニカ空爆は都市空爆の最初のもので、その残虐性への抗議がピカソの絵画「ゲルニカ」である。この蛮行に対する人道的憤りが世界的に広がり、オッペンハイマーもカンパしたりし、左翼的運動と交流があった。後に妻となる女性もそういう活動家だった。こういう雰囲気の研究室なので、タケタニに連帯する下地はあった。

戦後、オッペンハイマーは原爆の父として全米のヒーローとなり、行政上も重要人物になった。一方、一九四九年の中国の赤化など社会主義国の増加やソ連の原爆実験成功に不安を抱く保守層の反共マッカーシズムの嵐の中で、ソ連の原爆スパイ事件とも絡めて、ロスアラモスに赴く前の時期の彼らの左翼的活動が暴露された。かつての研究員の中にはデービット・ボームのように国外に亡命せざるを得ない者もいた。一九六〇年代に入り米政府はオッペンハイマーの名誉回復をするが、放射線による癌で一九六七年に六三歳で逝去した。

サイクロトロン建設

戦前、武谷がいた理研の仁科研究室とカリフォルニア大学バークレー校の実験物理のローレンスの研究室は、サイクロトロン製造を巡って人的に交流があった。そして核物理に関わるオッペンハイマーと少し先輩のローレンスは親密な関係にあり、オッペンハイマーが原爆計画に関わるのもワシントンと繋がっていたローレンスの筋だった。ローレンスは核物理の実験道具サイクロトロンを発明し次々と大型化していたが、そこに嵯峨根遼吉が留学しており、理研のサイクロトロンの部品も一緒に注文したりしていた。日米開戦で中断するが、バークレーの同僚達は長崎原爆の前に日本政府に降伏を勧告するよう嵯峨根宛の手紙を落下傘で投下したという終戦秘話もある。

戦後史を彩った武谷三男

二〇二一年は湯川没後四〇年であり、二〇二〇年は武谷没後二〇年であった。湯川と武谷は、五歳違いだから武谷は長生きされたものである。さらに二〇一五年に医師で病院経営者でもあった「家内」ピニロピが亡くなられた。書簡等の遺品が遺族から支援者の手に渡って整理が進められており、戦後史の新史料が期待される。[*3]
敗戦時から一九七〇年代までの日本で武谷は無視できない存在であった。基礎物理学、科学方法論、技術論、科学史といった一部の専門家との論争だけでなく、俄に社会に持ち込まれた科学技術の課題である、原水爆の威力、原子力政策、放射線被曝、公害問題、労災、核兵器体系、原発問題、安全論などで、八面六臂の活躍をした。[*4][*5]「物理学者は未知の問題に取り組む専門家である」と豪語し、既成の権威層の思考停止の間隙を突いた面もある。特に一九五〇年代における日本の原子力政策をめぐって彼が提起した自主・民主・公開の三原則は政治や行政をも動かす力をもち、社会のオピニオンリーダーとしての地位を固めたといえる。

一介の若い浪人科学者の叫び

無条件降伏の敗戦は、戦前の権威や価値観に根本的な転換を迫ったとはいえ、専門的知識を必要とする先述の広範な課題で、武谷が影響力を持ったのは特異である。終戦時で弱冠三四歳、し

＊3　野上隆生「原子力に警鐘、武谷三男の史料発掘、特高検挙時の手記も」『朝日新聞デジタル』二〇一九年一二月一三日。
＊4　武谷三男『物理学は世界をどう変えたか』毎日新聞社、一九六一年。
＊5　八巻俊憲「武谷三男（1911–2000）の思想構造——その科学主義とヒューマニズム」『技術文化論叢』東京工業大学技術構造分析講座、第一九号（二〇一六年）五一—六七頁。

かも赫赫たる業績で三二歳で帝大教授に就任した湯川などと違って、この年齢まで博士の学位も定職もない研究者である。[*6] 彼にも数年間の基礎物理学での研究経験はあるが、そのことが彼の特異性の証ではない。むしろ科学技術業界の近代化と民主化を希求する研究者「大衆」が存在し、彼らの心に沁みる一貫した思想を伝えたことがポイントであろう。それでも、一介の若い浪人科学者の叫びがあれほどのインパクトを持ったのは奇異であり、ジャンヌ・ダルクや天草四郎のようなカリスマ性を彼が帯びていたと考えざるを得ない。その要因は湯川との共同研究歴と治安維持法による検挙歴であろう。これこそ敗戦日本の虚脱感と重ねると見える救世主の要件である。

湯川サークル

中間子論の「続篇論文」の著者四人はみな京大物理学科の卒業で、湯川は一九二九年、坂田と小林は一九三三年、武谷は一九三四年の卒業である。一九二五―二七年頃に確立した量子力学を朝永振一郎と自学自習した湯川は一九三二年から学生に量子力学を講義するが、最初の学生が坂田、小林ら、翌年は武谷らであった。湯川は一九三三年に新設の大阪大学に移るが、講義はしばらく両方で行った。坂田は卒業と同時に理研に移るが、一年後には湯川が坂田を呼び寄せ、代わって小林が理研に職を得る。武谷は卒業後無給の研究生として阪大の湯川のもとに出入りするが、京都暮らしであった。自分の興味でニュートン力学や量子力学の形成の科学史に取組みつつ、場の量子論を勉強した。そこに一九三七年の中間子論のクローズアップがあり、湯川は武谷を巻き込んで続篇論文に取り組む。湯川は中間子論文以後、実験とすぐ比較できるベータ過程が関係する核物理の研究で坂田と共著論文を出していた。初学者にはよい課題だが、武谷が参加していないのは不思議である。

学科主任の八木秀次が注目の湯川にポストを増員するが、手元の武谷でなく小林を呼んだのは「検挙騒動」が絡んでいたのか？　ところがこの一九三八年の初夏に京大物理学科の玉城嘉十郎教授が五二歳の若さで病死し、翌年度から湯川が後任となり、坂田も一緒に移った。湯川はこの年にソルベー会議にも招待され世界一周をする。坂田は新設の名古屋大学に一九四二年に移り、湯川は小林を一九四三年に京大に呼び戻し、その後講座増設があり、一九四五年には小林も教授になる。坂田も小林も若くして帝大教授へと世間的には破格の出世であった。

これに比べ、たった一学年違いの武谷の境遇は厳しいものだった。京都でも大阪でも技術学校の時間講師の不安定な収入だった。阪大に残された武谷を仁科が財団の奨学金を貰える手配をして理研に迎えた。湯川も併任で主任研究員として理研の一員となる。ここで武谷は中間子討論会を提案し、湯川、朝永、坂田らと徹底的に議論する場となり、この研究スタイルが戦後の素粒子

＊6　武谷は名大教授坂田の采配で一九四八年に科学史の論文で理学博士の学位を取得した。雨宮高久・中根三千代・植松英穂「武谷三男と坂田昌一――交流の一段片」『日本物理学会誌』第七一巻二号（二〇一六年）、一一三―一一五頁。立教大の原子炉設置に伴う物理学科の教員増で一九五三年に教員となった。

論グループや基研に引き継がれた。武谷の物理研究の充実した時間であった。

二度の検挙歴

武谷の最初の検挙は京大文学部のOBが発行していた月刊誌『世界文化』[*7]の関係者への人民戦線容疑での一斉検挙である。武谷はこの雑誌の同人で、谷一夫のペンネームでガリレオや量子力学の論考を載せていた。この雑誌同人の一斉検挙が一九三七年秋から翌年に行われ、武谷は一九三八年九月から翌年四月まで勾留された。[*8]「書かれていた内容」でなく、人間関係からのでっち上げ検挙であった。武谷のこうした文系人脈との交流は一九三三年の京大瀧川事件での学生運動によるものであった。

もう一つ、一九四四年五月の検挙は阪大時代に接触のあった工学部の内山弘正に絡むものである。[*9]武谷は彼との議論で「客観的法則の意識的適用」なる技術論を提出していた。その後、内山は電波兵器の工場長になり、工員に『君たちはどう生きるか』などをテキストに学習会を組織して左翼的労働行為として摘発され、検事にこれは武谷技術論の実践だと開き直ったので、しばらく関係もなかった武谷が巻き添えをくう形で検挙された。

私の遠い記憶　湯川記念館

一九四九年の湯川のノーベル賞を記念して京大内に湯川記念館が一九五三年に竣工した。大学構内に新築の建物が殆どない時代、それはひときわ目立つ優雅な外観であった。一九六〇年に理論物理を目指して大学院に入り、遠慮なくこの建物に出入りすると、今度は椅子などの調度品の豪華さに驚いた。建物全体はコの字型で、北側の棟は一九六〇年の増築であり、この新築の二階に円卓の机と椅子が置かれた絨毯敷きのコロキウム室があった。出席者が二〇人くらいまでのセミナー講演や委員会によく利用されていた。室内の東側には端から端までの大きな黒板があり、北側に理学部植物園の樹木に面した窓があった。昔流の高い天井で、上下にスライドして開閉する鉄枠の窓であった。窓がない真ん中辺の白壁に一五センチ四方ぐらいの小ぶりな白い額が掛かっていた。

＊7　綿貫ゆり「反ファシズムの烽火──『世界文化』と『土曜日』」『人文公共学研究論集』千葉大学大学院人文公共学府、第三八号（二〇一八年）、一九七─二一四頁。

＊8　実際にコミンテルンとつながるフランス帰りの人物と『世界文化』の同人の一人が海外情報のため接触があり、コミンテルンの人民戦線路線のカムフラージュ活動として弾圧された。武谷は神戸に居を移したので検挙が遅れた。湯川が保証人になって釈放された。

＊9　八巻俊憲「武谷技術論に関連する内山弘正の手稿」『技術文化論叢』東京工業大学技術構造分析講座、第二〇号（二〇一七年）三五─五〇頁。

コロキウム室の白い額

額のガラス面の中は白い紙に黒で文字が書かれ、色彩がないので目立たない存在だった。漫然と集まりの開始を待っている時などに、隣の人に「あれは何?」と聞いても、「なんだろうね」と返ってくるだけで誰も興味がないようだった。一九七一年に所員になり、また所長を務めるようになった頃に、その額への興味が蘇り、近くでよくみると、流暢な筆記体のフランス語のフレーズと署名があり、署名はロマン・ローランと読めた。ある時、誰かがフレーズは「窓を開けよう」という意味だと教えてくれた。居合わせた口さがない誰かが「タケミツが窓を開けよと怒鳴ってんじゃない」と突っ込みを入れて一座の笑いをとっていた。一九七〇年代以前はまだ嫌煙権の観念は存在せず、私もタバコを吸っていた。そんな研究者の大半が愛煙家であった時代にタケミツこと武谷は嫌煙家で有名だった。喘息のせいらしく、研究会などで煙が充満すると黙って立ち上がって窓に行って鉄枠の窓を上下させ、換気していた。

「窓を開けよう　ロマン・ローラン」

後から思えば、このコロキウム室を使用している連中にとって、この額は「猫に小判」だったというお恥ずかしい話だが、ここで武谷の名が登場するのは正解なのである。「窓を開けよう」というフレーズは昭和初期のインテリにはある程度知られたもので、ロマン・ローラン『ベートーヴェンの生涯』[*10]にある一節である。

「空気は我らの周りに重い。旧い西欧は、毒された重苦しい雰囲気の中で麻痺する。偉大さの無い物質主義が人々の考えにのしかかり、諸政府と諸個人との行為を束縛する。世界が、その分別臭くてさもしい利己主義に浸って窒息して死にかかっている。世界の息がつまる。――もう一度窓を開けよう。広い大気を流れ込ませよう。英雄たちの息吹を吸おうではないか」

この小冊子は一九〇七年の作だが、一九二四年のベートーベン没後一〇〇年祭に寄せて、あらたな序文をつけて世に問い、広範な人々に広まった経緯がある。背景には第一次大戦後の不安定なヨーロッパで、スペインやイタリアそしてドイツでのファッショ勢力の伸長があった。ローランはいう、この本は歴史書でも音楽書でも学問の書でもない、これは理想的ヒューマニズムとその挫折の「きずついている魂から生まれた一つの歌であった。これは、息のつまっている魂が呼吸を取りもどし、再び身を起こして、その「救済者」にささげる感謝の歌であった。私がこの「救済者」を描きながらその姿を変容させていることは、私みずからよく心得ている。しかし、信仰と愛との証しというものはすべてそのようなものである。そして私のこの『ベートーヴェ

＊10　ロマン・ロラン『ベートーヴェンの生涯』片山敏彦訳、岩波文庫、一九六五年。

ン』は、そういう信仰と愛との証しであった[*10]」。

この魂の書ともいうべきローランの小冊子について、武谷は一九三七年に谷一夫というペンネームで「ロマン・ローランとベートーベン」という論考を『音楽時評』に書いている。クラシック音楽愛好家としてベートーベンからローランに出会ったようだ。「三段階論」で名高い彼の戦時中の論稿集『弁証法の諸問題』には音楽関係の文章が三つも載っている[*11]。

先の小さな額に戻ると、どう持ち込まれたかの由来は定かでないが、武谷が絡んでいるのは確かである。パソコンでの画像処理などない時代、ましてやローランの肉筆のコピーだから、ネット時代前では簡単に入手できない。海外にも繋がる「ローラン友の会」の広報用にフランスで翻刻版がある数作られ、日本にも持ち込まれた可能性も考えられる。あるいは、ローランは大戦にも反対した平和主義者で、一九一五年ノーベル文学賞も受賞しているフランス大衆に愛された英雄だから、ローラン名言の色紙がパリあたりでは土産物として売られていたのか？

基研研究会での武谷

私が基研の研究会で武谷を目にしたのは一九六〇年代である。基研で「星と原子核」のプロジェクトを一九五五年に始め、武谷はプロモーターとしてＴＨＯなる論文を出した。続く基研の第二段の宇宙物理のプロジェクトは銀河系・電波天文・宇宙線・銀河磁場などがテーマで、一九六一年ごろに始まった。まもなく海外から、サイズが星のように小さい電波源発見のニュースが飛び込み、「スターライク」と呼ばれていた。この議論の時の武谷の行動をよく覚えている。スピーカーでもないのに壇上に行って、専門家に問いかける形で、黒板に書かれたのを整理して議論をリードした。もっともここでの予想は的外れであった。星とガスのコンパクトな集団での超新星の連鎖爆発が提起され、武谷はパイル・モデルと呼ぼうとか言っていた。しかし結局はホイルらの巨大ブラックホール説が正しかったわけだが、あの時、オッペンハイマーの一九三九年の相対論的重力崩壊の論文を持ち出す人は日本にはいなかった。あの場の雰囲気ではエネルギーといえば核エネルギーに引きずられてそこから抜け出せなかったのだ。

ダンディな武谷

当時、武谷はある意味で湯川並みのカリスマ性がある存在だった。会った時の私の印象は「お洒落な人」である。当時、教授は大体上下揃いの背広だったが、彼はツイードの背広で、胸ポケットにはハンカチをさしていた。張りのある声で、テキパキとした身軽な行動が目を引いた。多分、小規模な討論会の習性で行動するので、人数が増えた場では目立ったのだろう。

＊11　武谷三男『弁証法の諸問題』理論社、一九四七年。

一九六五年に宇宙背景放射の大発見があり、私も発起人の一人で宇宙論のプロジェクトが始まった。武谷は「銀河」の時ほど頻繁には出席しなかったが、論文集を纏める際に、世話人の一人だった立教大の会津晃と中井にあった武谷の個人事務所に相談に行ったことがある。[*12]

大学紛争が燻り出した頃からは、武谷は基研に現れなくなる。これは、一九五三年に就いた立教大を早めに辞めたことと符合する。一九七〇年代は公害や原子力に関わる活動家と交わって、理研や基研での討論スタイルを緊急な社会問題に広げて八面六臂の活躍をした。京都の『世界文化』の人脈に加え、羽仁五郎、坂西志保　星野芳郎、鶴見俊輔などの東京での人脈も、ある意味で華麗であり、人を魅する力のある傑物だったと思う。

科学主義とする武谷批判

一九八〇年代、日本社会は空前の好景気に沸き、『沈黙の春』や『成長の限界』など世界の識者の環境負荷への警告はあったが、科学技術の負の側面への注意は背景化していた。一方、中国経済の急成長など、科学技術での生活向上が大量化するに連れて、グローバルな環境問題やエネルギー問題が深刻化した。こうした中、武谷の主張はいわば「科学を科学的に」という主張であり、これが科学主義として批判されるようになった。[*5] 確かに彼が原子力問題に取り組んでいる時には、原子力が悪いのではなく、それに相応しくない連中がやっているのが問題なのだという論であった。彼の没後だが福島原発事故もその典型である。しかし科学主義批判はともすると反進歩主義的なエコロジズムの論調になる傾向をもつ。

ヒューマニズムと人間の解放

ヒューマニズム思想には多くの人間が貧困と不自由から解放されていく歴史を追求する人間謳歌がある。私も武谷に共感している面があるのだが「エコロジズムはこういう人間解放の思想たりうるか」という疑問を感じている。[*13] まずこの風潮で人間の自然利用をただ制限することになれば、多くの人間の人間性開花を可能にしてきた社会の物質的基盤を脅かすことになる。現在の快適な生活を支える膨大な食糧や衛生上のインフラをしばしば忘れがちであるが、それは贅沢を支えているというよりも、人間の自由と尊厳を支えている基盤なのである。科学技術の力が多くの人間を解放してきた歴史を忘れてはならない。反進歩主義は根本的において武谷のヒューマニズム、ベートーベンとロマン・ローランに魅せられる思想とは対立すると考える。

＊12　K. Aizu, S. Hayakawa, H. Sato and M. Taketani "General Review and Summary—Astrophysical Cosmology", Prog. Theor. Phys, Supplement No 49（1971), 1-10

＊13　佐藤文隆「科学と民主主義10話」『科学と人間』青土社、二〇一三年。

ヒューマニズムと科学

こういう物質的インフラに加えてもう少し精神的なものもある。「人間の自然的規範への従属を要求し、人間の自由と主体性を著しく制限することにならないか」という論点である。[13] 自然への従順さだけが強調されると、その社会思潮は個人の自由や尊厳の主張を排除し抑圧する風潮を助長しかねない。自然との一体感が強調されると合理性を基礎にした人々の対話の尊重も抑圧され、自然を物神化して人類の運命をそれに預けるべしという風潮が社会に横溢してくるだろう。過激な環境の全体論や生命体論は自然と人間のいかなる改造も拒否するから、革新を掲げる民主主義とは根本的に方向が違うのである。

また人間を神との関係で自然の上におくキリスト教の考えが西洋近代の根底にあり、それが個人の尊厳を析出させたのであり、そこにベートーベンとロマン・ローランの魂がある。自然に同化するのでなく、「地球家政」的な科学[14]の探求も必要とされているのだと考える。

武谷は科学が科学的に使われるためには、それに相応しい専門家や社会システムの構築が不可欠と考えた。そして、今ほど世の中がスマートでない時代、この「相応しくない」諸々のものと武谷は戦ったのである。逆境にめげないあのパワーを彼に与えたベートーベンとロマン・ローランはやはり偉大なのである。

＊14　村上陽一郎「近代文明とキリスト教2」『文明のなかの科学』青土社、一九九四年。

第 13 章

湯川秀樹没後四〇年

——科学者の生きがいとは

定年後の夢

「前々から念願であった、三浦梅園の旧居訪問を実現しようと思った。大分から別府、杵築を経て、国東半島の東端に位置する安岐町にいたるまでの間は、別府湾の見えかくれする舗装道路で、車はひた走る。そこから先は安岐川に沿った細い道に変る。降りやまぬ雨にぬかるむ道を、車は幾曲りする。あまり険しくない山並みを背景とする田園風景がどこまでも続く。人家はまばらである。道は緩やかな登り坂になっている。目指す方には梅園が終生、愛してやまなかった両子山があるはずだが、雨に煙って姿は見えない。小高いところに集落が見えだす。車をおりて田圃道を少し歩くと、石段がある。数段の石を踏みのぼって、平らな前庭に出た私たちは、茅葺の大きな平家に向かい立っていた」[*1][*2]。この文章は心躍らせてあこがれの場所に近づく高揚感を滑らかに表現している。多感で一途な若人の心模様をあけっぴろげに表現した文章と受けとられるかも知れないが、じつは、還暦も過ぎ、まもなく京都大学の定年を迎えようとする湯川秀樹の文章である。この訪問のこの後については他に記したことがある[*3]。

この「高揚感」は「梅園」に特化したものというよりは「定年後」に訪れる自由への開放感を夢見ている高揚感なのではないかと思われる。同学年の朝永振一郎のように大きな公職にも就かずに自由に生きてきた湯川にとって、大学の定年などは人生の一大転換点ではないという見方もあろう。私はこれと違って、湯川は定年を一大転換点にしたかったのだと思う。そしてそのことは単に「長寿社会での学者の定年後の過ごし方」といったハウツーもの的な関心を超えた問題を科学者に提起しているように思える。それは大きくいえば、二〇世紀の歴史を経て変わりつつある「科学の大義」と「個人の生きがい」のせめぎ合いとも言える。「科学の大義」に賭けるのが「個人の生きがい」であった科学の揺籃期から大エスタブリッシュの「職業としての科学」に成長した二一世紀の科学をさらに変容させていくモーメントは何かという課題に関わると思うのであるが、その考察の材料として湯川の定年前後の状況を見ておこう。

湯川秀樹没後四〇年

二〇二一年九月は湯川秀樹没後四〇周年であった。一九七〇年三月に京大を定年になり一九八

＊1　湯川秀樹「三浦梅園の旧居を訪れて」『湯川秀樹著作集』第六巻、岩波書店、一九八九年、一三四頁。
＊2　細川光洋選『湯川秀樹歌文集』講談社文芸文庫、二〇一六年。
＊3　佐藤文隆「三浦梅園と湯川秀樹」『窮理』第三号、窮理舎、二〇一五年一一月。

一年九月八日に亡くなられた。この間一〇年といえば長そうだが現実には約五年で自由な生活は病気に奪われ、「定年後の夢」は完熟せず途中で潰えたといえる。

その「定年後の夢」については後述するとして、「没後四〇年」に因んで当時の様子を記しておく。一九七〇年の退官後も湯川は京都大学基礎物理学研究所の所長室をそのまま使用して、運転手付きの研究所の車で往復していた。退官後は来客にもバラエティがまし、「定年後の夢」を着々として実行されているように見受けられた。だから病変は全く不意にやってきた感じであった。本人は体の不調に気付きながらも、講演や対談の先々の予定表が埋まっているから、他人を巻き込む事態にならないように、「一時の不調」と自分を納得させて病院行きを先延ばししていたのかも知れない。一九七五年の五月半ばに初めて医者に行き六月二日に前立腺がんの手術を受けることとなった。家族以外のものが病変を知ったのは手術日が決まった頃であった。当時も今も、この手術は深刻な事態とは受け取られていないと思うが、湯川の場合の術後は予想外の深刻な事態だったようで、体調に浮き沈みはあったが、夢をエンジョイするといった状態に戻ることはついぞなかった。[*4]

術後間もない八月には提唱者であった核兵器廃絶のパグウォッシュ京都会議に車椅子で出席し演説をした。ＮＨＫはこの様子とスミ夫人共々の世界連邦実現を求める平和運動なども含めて『核、ガン、平和』なるテレビ番組を作成して翌年一月に放映した。多くの国民が病変した湯川に出会うこととなった。

逝去と葬儀

体調が万全ではなかったが「古希の祝賀会（一九七七年）」や「基礎研二五周年祝賀会（一九七八年）」などには周囲を気遣って出席され、また一九四六年に創設した英文論文誌『プログレス（Progress of Theoretical Physics）』の月に二回ぐらい開かれる編集委員会には可能な限り出席していた。論文の受け取りの葉書に編集長である湯川が万年筆で署名する慣習になっていた。研究者の駆け出しの頃、私も湯川署名の葉書を受け取って誇らしく感じたものである。体調が悪い時はこの署名を終えた後は途中から部屋に戻って横になる時もあった。

この編集委員会出席は一九八一年の八月一七日まで続いた。そして次の九月七日の編集員会は欠席された。八月二三日に散歩中に転んで怪我をしてそれから風邪をひいて体調を崩しているので入院の予定であるとご自宅から連絡があった。前年の初めにも肺炎で入院し一時期危篤状態になったこともあり不安が走った。そして翌九月八日の昼過ぎ突然急性心不全で病院に運ばれそのまま永眠されたのである。まもなく研究所内の電話があちこちで鳴り出した。外線に沢山入った電話を、京大の交換手さんが次々と研究所の別の内線に繋いだのだろう。湯川の存在の大きさを

＊4　病変の事情については、湯川スミ『苦楽の園』講談社、一九七六年に詳しい。

確かめるように、しばらく鳴りひびく響めきを聴いていたものである。

中学以来の友人で湯川記念財団の理事長であった湯浅祐一（ユアサ電池会長）が葬儀委員長となり、一九日に知恩院で葬儀は行われた。雨の中であったが参会者は約一五〇〇人であった。一九七九年の朝永振一郎の青山斎場での葬儀には大平正芳総理大臣の姿もあったが、在京でないためか湯川の葬儀には大物政治家の出席はなかった。一〇月三一日、理学部と基研の共催で「追悼講演会」と「パネル展示会」が行われた。私は講演会の司会役だった。追悼会の少し前の一〇月一一日、ホイラー夫妻がアジア旅行に合わせて湯川弔問のために京都に立ち寄られた。仏壇にお参りするため私は湯川家に二人を案内した。[*5][*6]

一九六九年大学紛争の頃

湯川没後四〇年ということで一九八一年に話が飛んだが、冒頭の梅園旧居訪問のあたりの一九六九年に戻ると、この時期は大学紛争の時期であることに気づく。この大波は勿論京大でも例外でなく、一九六九年三月に本部構内でのゲバ棒での大規模な衝突があり沈静化したようだったが、新学期から学部ごとにストライキ決議を上げて次々と授業粉砕が進んだ。湯川が所長の基礎物理学研究所は本部構内の北の北白川構内の東北端にあり、学生の通りも少ない静閑な場所で、一見無風地帯であった。ところが道ひとつ隔てた農学部は過激派の強いところで封鎖をやっており、この連中が基研の玄関横の壁面に「専門バカの巣」という等身大の大きさの落書きをした。湯川記念館とも称されるこの白亜の建物もしばらくは無様な姿だった。

当時、大学の評議会は平時には諸規則の改定を承認する形式的な委員会であるが紛争時には大学執行部として対応に追われた。研究所長は評議員の一員であったから、学生問題に無縁でも所長は「紛争」に巻き込まれた。ところが基研所長は例外的に評議会のメンバーでなかった。基研は大学共同利用研究所という新制度発足時の第一号である。当時、京大の議論では「他大学の構成員が京大の研究所の運営に関わるのは大学の自治を犯す」という議論もあった。またこの制度を作り上げる大衆的エネルギー源でもあった素粒子論グループにも「基研は京大に所属するが京大の構成員のものでない」という意識が強かった。こういう中、創設時に「基研所長は評議会に出ない」となった。ただその後の共同利用研ではどこでも所長は初めから評議会に入っており、基研所長が言い出せば評議会のメンバーになったであろうが、湯川はこの例外措置を誇らしく語って

*5　前掲書（*4）には次のような一節がある：一九四八年プリンストン高等研究所の住宅にはいったが、秀樹は研究所に早速出て行って、一人残されたスミは途方にくれていた。すると「私は、あなたのご主人と以前からの友達のプリンストン大学のウイラー教授の家内である」と上品な夫人が現れて銀行や買い物に連れて行ってくれた。このホイラー（ウイラー）教授夫妻が弔問に訪れたのである。ホイラーは一九六〇年代にはブラックホールの研究で有名になった。

*6　佐藤文隆『佐藤文隆先生の量子論』第五章「ジョン・ホイラーと量子力学」、講談社ブルーバックス、二〇一七年。

変えることはなかった。これで紛争時に形式的にも関わらされる場面が皆無だったのである。

基礎物理学研究所一五周年

私の想像では湯川は研究所へのご奉公は一九六八年の研究所一五周年記念シンポジウムでお納めとしたのだと思う。二〇周年にすると定年後なので中途半端な一五年なのだが、一〇月二八―三一日にわたって京都会館で、四〇〇人もの出席をえて、基研の研究活動の総決算を行なった。式典に続く各分野の報告・討論が大半だが、最後の日の一時から五時半までの長時間「基礎研の役割・今後のあり方」のセッションが設けられた。一般的な「今後」ではなく「湯川なき後の」という意味である。基研の最大の特徴は「湯川研究所」であることである。「カリスマ的な人物の研究所」という形は世界的にも例があり、湯川はまさにその役目を一五年間果たしてきた。日本ではこの間に原子核研究所や物性研究所という共同利用研究所が他にも創設され、その理論部門だけでも基研より大きいという研究条件の前進があった。共同利用研の先鞭をつけた功績は大きいがそれだけでは「今後」は築けない。

大学の定年と関係なく湯川は所長を続ければいい、などという極論も討論の中にはあったが、「湯川なき後の湯川研究所」という大きな宿題を関係者に認識させてこの会は終わった。ところが関係者は皆この頃から全国各地の「大学紛争」に振り回されて「宿題」どころではなくなった。

世間的にも戦後史を彩ったあの湯川の退官だったが、紛争の喧騒の中でひっそりと迎えた。

定年後プロジェクト

定年後に理論物理全般の進展を話題にする会合として設定したのが「渾沌会」である。一九六〇年代から湯川は色紙に「知魚楽」と書くなど『荘子』によく触れていたが、「渾沌」もそうである。世話人が話題提供者をアレンジして、湯川の出てくる日に開かれた。一九七一―七八年の間に五九回開かれたが、私も七回喋っている。

退官を待っていたかのように始まったのが湯川監修の岩波講座『現代物理学の基礎』全一一巻である。[*7] 各巻の編者を湯川が指名し、どの巻でも編者・執筆者と湯川とのミーティングがもたれた。本人は『古典物理学』と『量子力学』の一部を執筆した。

退官は生前における一つの節目であり、『湯川秀樹自選集』(I―V)が刊行された。[*8] また若い時から折々につくってきた短歌を編集した歌集『深山木』を刊行した。[*9] ほぼ年代順に一四章に分

＊7 『古典物理学』(1・2)、『量子力学』(1・2)、『統計力学』、『物性1(物質の構造と性質)』、『物性2(素励起の物理)』、『生命の物理』、『原子核論』、『素粒子論』、『宇宙物理学』の一一巻。
＊8 『湯川秀樹自選集』(I―V)朝日新聞社、一九七〇年。
＊9 『深山木』については『湯川秀樹著作集』第七巻、岩波書店、一九八九年、あるいは前掲書(＊2)。

けて四七三首が載せられている。歌集のタイトルは

深山木の暗きにあれど指す方は遠ほの白しこれやわが道

からきており、一九四八年の訪米の大きな期待と不安を込めた人生の大転換点を歌ったものだ。私の記憶ではこの歌集は「退官の会」出席者に配布された（当日であったか、事後かは定かでない）。湯川は、この後、これら短歌の一部六六首を毛筆で自書しており、それらは『蟬声集』として刊行された。[*10] タイトルは

東京の宿にきて先づなつかしむ蟬の声する庭の木立を

からとられており、これはノーベル物理学賞受賞の翌年夏に初めて日本に帰った折の歌である。

『創造の世界』と天才論

しかし、湯川にとっての文化的活動は退官が収穫期というよりは新たな出発点でもあった。すぐに『朝日ゼミナール』で三回の「私の生きがい論」の講演に挑んだ。[*11]

「誌上シンポジウム」を売り物にした季刊雑誌『創造の世界』の刊行もある。編集後記にも「湯川先生がご退官になり、いろいろご相談に乗っていただけたこと」とあり、小学館が目指す総合雑誌の創刊も湯川の退官を期に動き出したのである。市川亀久彌、梅原猛らがプロモーターであった。季刊八号には湯川に誘われて、私も「誌上シンポジウム」の話題提供者になっている。[*12]この季刊誌上で湯川が連載ものとして始めたのが天才論である。弘法大師、石川啄木、ゴーゴリ。ニュートン、アインシュタイン、宗達・光琳、世阿弥、荘子、ウィーナー、エジソンを取り上げたところで病気のために中断した。[*13]

＊10　湯川春洋・小川環樹編『蝉声集』、一九八九年。

＊11　湯川秀樹『この地球に生れあわせて』第一部「私の生きがい論」、講談社文庫、一九七五年。これは週刊誌『朝日ゼミナール』企画での講演が元になっている。この「生きがい論」ゼミでの他の論者には梅原猛（「人間と生きがい」）、清水幾太郎（「生きがいとは何か」）、司馬遼太郎（「歴史のなかの生きがい」）、梅棹忠夫（「未来社会と生きがい」）などがいる。

＊12　「現代の宇宙論」、『創造の世界』第八号（一九七二年一〇月）、出席者は佐藤、湯川、市川、寺本英、加藤進、梅原猛、大谷浩。

＊13　湯川秀樹『天才の世界』（正・続・続々）小学館創造選書、一九七九年。「知的生き方文庫」（三笠書房）に再版。

テレビ対談番組に挑戦

定年後を待って持ち込まれた企画にテレビ対談番組がある。「この書物（『人間の発見』）の本文は12回にわたるテレビ対談あるいは鼎談に、ごく僅かな加筆訂正をしたものである。今までに普通の意味での対談などを集めて本にするという経験を、私はすでに何度も重ねてきた。たとえば近いところで対談集「学問の世界」「半日閑談集」「科学と人間の行方」などがある。これらの中に収録された対談の中で、最近10年ほどの間に行われた分だけを数えてみても三十回に近い、今度のこの本の内容は、それらとは大分ちがっている。もちろん私にもテレビに出た経験は何度もある。しかし、それらとはことかわり、NHKテレビの教養特集という1時間番組の司会役をつとめることになったのである。ことのおこりはプロデューサーの阿満利麿氏から「毎月一回一年間、「人間の発見」という全体のテーマで司会者も兼ねて出演して頂いただけないか。ただし毎回の話題や話し相手は先生がご自由にお選び下さって結構です」という申し出であった。それはもう今から5年ほど前になる。私は当時、京都大学を定年でやめたところだったので、時間的にも気持ちの上でも大分ゆとりができていた。それで気安く引き受けたわけである[*14]」。

当時のテレビの編集技術上の制約で、生放送であるから大変であった。「いざ司会をしてみると、いろいろ予想外の苦労があることが、すぐわかった。何よりも時間が気になる。長年の間、大学で講義をしたり、いろいろな機会に講演をしたりしているうちに、おのずから時間感覚が身についていた。「定刻の5分前ぐらいになったな」というくらいはカンでわかるようになっていた。しかしテレビのように1分とか30秒とか言う短い時間単位が問題になると、話はちがってくる。自分で経験してみて初めてテレビ関係者の苦労、特に時間的空白を恐れる気持ちがよくわかった。その次には毎回、適当な話題と話し相手を見つけることが案外、簡単でないことがわかった。あとになるほど、だんだん手詰りを感じるようになってきた[*14]」

それにしても相手から話題を引き出す司会というよりは、自分が話題を準備して行って相手に問いかける内容になっている[*15]。終わりの二回は市川の司会で湯川から聞き出す形にした。それにしてもこの歳で新たな身体芸に挑戦しているのは天晴れである。一九七三年、江崎玲於奈のノーベル物理学賞を機に行われた朝永を入れた三人の講演会の折に「一日生きることは、一歩進むことでありたい」という色紙の警句が初登場する。もう後期高齢者であるが、あくまでも前向きであった。

＊14 『湯川秀樹対談集Ⅲ 人間の発見』（講談社文庫、一九八一年）の「あとがき」は一九七五年一一月であり、病変で遅れたと記している。

＊15 北村四郎「植物的世界観」、渡辺格「分割の果て」、宮地伝三郎・福永光司「荘子の世界」、作田啓一・多田道太郎「休みの思想」、なだいなだ「おそれ」、司馬遼太郎・上田正昭「歴史の中の人間」、源豊宗・吉田光邦「自然の中の人間」、五来重「西行の世界」、水上勉「情」、庄野英二・森本哲郎「メルヘンの世界」、市川亀久彌「生きがい」、「心の遍歴」。

「和歌について」

多分、まとまった文章としてはこれが最後のものではないかと思われるのが『禅』という雑誌に掲載された文章である。

「短歌というものの専門家の間では、近代化、現代感覚ということがしきりに言われており、それも結構ですけれども、私の知的関心、知的活動全体の中では、近代的なものには別に事欠かないわけで、さまざまなジャンルの近代的な文学があるし、特に私は平生、現代物理学の中でも最も先端的なことをやっているので精神の安息のためにはむしろ、なるべく物理学との距離が大きいものの方がいいんです。年がら年じゅう物理のことばかり考えて、それで一生終わるというのは本当に人間らしい生き方ではないと私は思っているのです[16]」

ニュートンも錬金術や聖書の年代学に凝ったり、年がら年じゅう物理や数学をやっていたわけではない。怪物ではなくて、人間らしい人間であった。「私についても、願わくは私を怪物扱いしていただきたくない、あるいは物理だけを研究する機械のように思っていただきたくないのです。普通の人間が、たまたま物理学のような学問を好きでやっているということを知っていただきたいのです。世の中には、一生の間、朝から晩まで一つの学問をやっているという人があるかないか知りませんが、もしあったとしたら、やはりあまり幸福でない人だろうと思いますね。それで自分は幸せと思えたら、それでいいかも知れませんけれども、多分そういう人はないと思います[*16]」

「この年まで生きていると、人間というものがわかってきたが、単に一面的な人間など一人もいないのです。誰でもどこかおかしい。ただ、おかしさのあらわれ方があまりよく見えぬか、よく見えるところへあらわれるかの違いだと思います。物理学者である私が短歌などをつくって、皆さんに和歌の話をするのはおかしいと、皆さんお思いになるかもしれません。しかし、おかしいと思われるようなものを持っているから、私はあたりまえの人間なんです。そういうことが一つもなかったら、私は非常に不思議な人間です。存在し得ない、実在感のない人間になってしまうのではないでしょうか[*16]」

背伸びする国民の支え

病変のため五年間ほどに短縮された湯川の「定年後の夢」の旺盛な活動ぶりを見てきた。湯川も朝永も十数巻にも及ぶ著作集が出版されている[*17]。二人のこのような多くの書き物は、勿論、社

＊16　湯川秀樹「和歌について」『湯川秀樹著作集』第七巻、一九八九年。前掲書（＊2）にも再掲。この文章は最初は『禅』という雑誌の二五二号（一九七六年）に掲載。

＊17　『湯川秀樹著作集』全一〇巻、別巻1、岩波書店、『朝永振一郎著作集』全一二巻、別巻3、みすず書房。

会的時代的ニーズの上に実現したものである。インターネット時代の中で薄れつつある読書教養文化がまだ濃厚に存在した時代が背景にある。それにしても、基礎科学の研究者がこれだけの多方面の文化的活動の集積を見ることになった理由の一つは湯川が非常に若い時期に専門分野で世界的に評価されたことがある。三二歳で京都大学教授、三五歳で文化勲章、四二歳でノーベル賞、といった年齢は、近年の日本のノーベル賞受賞研究者の年齢と比較するとその差が歴然としている。しかもその発言の内容は自分の成功談や人生訓の開示に留まっておらず、ハードな科学の異世界に片足をおいた人間が日本や世界の文化について語る新鮮さが独自の領域を読書界に拓き、多くの文章や企画の依頼があったのであろう。近年の科学者を見る目だと「西行に凝ることが物理学にどう還元される」などという興味に脱するのと違った芳醇な文化を求める時代に支えられていたと言える。湯川の文化界での活躍もやや背伸びした多くの国民とともにあったのである。

職業と人生

長寿社会となった最近では、たとい終身雇用の正規社員でも、長い退職後の人生をいかに構築するかは重要な課題になっている。「団塊の世代」の大量定年退職後では既定の心得るべき課題になっている。日本経済が上向きであったこの世代は、学校を出て会社の中で必死に努力し、自分の努力と会社の成長も重なって、まさに、単なる食うための労働ではなく、生きがいそのものの充実感を味わった人も多かった。だから定年後は余録で十分なのだが、なかなか終わりの幕が下りてこないのに当惑する事態が起こっている。

そんな二〇世紀型会社人間からみると、学者は、雇用の有無と関係なく、一生研究者として打ちこむ大義があるから「現役」と「定年後」の段差がない職業に見えるかもしれない。学術情報のネット化などで段差を小さくする手段は整備されつつあるが、では「段差」がないのが良いのかといえば自明ではない。湯川は積極的に「定年後」を新たに創造しようとしたのである。

私は湯川のこの物語を、長寿社会の課題としてでなく、科学をめぐる論議に戻したいのである。「西洋科学発祥の三位一体」では本来独立の哲学、方法、理念、思想、倫理、エートスなどが一つにパッケージされて科学に結びつけられ、その抱き合わせ販売の成功もあって世界で規模拡大をした。しかし異なった文化の履歴を持つ社会での科学の今後のあり方は、科学と抱き合わせされるものは西洋科学発祥のものと異なるのかもしれない。[*18] 漠然とではあるが私の未来に向けた「科学論」はこうした可能性を追求している。巨大なエンタープライズと化した各地の制度科学と伝統文化を引きずる社会との関わり方が課題である。それは科学者のその社会での威信と信用の担保に関わる課題である。

＊18　佐藤文隆『「メカニクス」の科学論』第一一章「多様な価値観とメカニクスの中立性」、青土社、二〇二〇年。

おわりに

本書は雑誌『現代思想』に二〇二一年一月から二〇二二年四月までの間に連載・寄稿した文章をもとに、修正と補筆をしてまとめたものである。途切れがちな執筆のエネルギーをかき立てて頂いた『現代思想』編集部の樫田祐一郎氏にお礼を申し上げます。本書の発行については今回も青土社の菱沼達也氏にお世話になりました。これで九冊目になるが、京都大学退職後の執筆活動を維持する大事な場を提供して頂いたことに感謝しています。

今回の連載中の二〇二一年五月に妻の桂子が心臓麻痺で急逝したのは哀惜の限りであったが、長く病床に伏すことなく逝ったのはせめてもの救いでありました。長年にわたるサポートに深甚なる感謝の念を表し冥福をお祈りする次第である。

二〇二二年初夏

緑あふれる京都西山の麓で、コロナ禍の解除とウクライナ戦争の終結を願って

佐藤文隆

著者　佐藤文隆（さとう・ふみたか）

1938年山形県鮎貝村（現白鷹町）生まれ。60年京都大理学部卒。京都大学基礎物理学研究所長、京都大学理学部長、日本物理学会会長、日本学術会議会員、湯川記念財団理事長などを歴任。1973年にブラックホールの解明につながるアインシュタイン方程式におけるトミマツ・サトウ解を発見し、仁科記念賞受賞。1999年に紫綬褒章、2013年に瑞宝中綬章を受けた。京都大学名誉教授、元甲南大学教授。

著書に『アインシュタインが考えたこと』（岩波ジュニア新書、1981）、『宇宙論への招待』（岩波新書、1988）、『物理学の世紀』（集英社新書、1999）、『科学と幸福』（岩波現代文庫、2000）、『職業としての科学』（岩波新書、2011）、『量子力学は世界を記述できるか』（青土社、2011）、『科学と人間』（青土社、2013）、『科学者には世界がこう見える』（青土社、2014）、『科学者、あたりまえを疑う』（青土社、2015）、『歴史のなかの科学』（青土社、2017）、『佐藤文隆先生の量子論』（講談社ブルーバックス、2017）、『量子力学が描く希望の世界』（青土社、2018）、『ある物理学者の回想』（青土社、2019）、『「メカニクス」の科学論』（青土社、2020）など多数。

転換期の科学　「パッケージ」から「バラ売り」へ

2022年8月25日　第1刷印刷
2022年9月15日　第1刷発行

著　者　佐藤文隆

発行人　清水一人
発行所　青土社
東京都千代田区神田神保町1-29　市瀬ビル　〒101-0051
電話　03-3291-9831（編集）　03-3294-7829（営業）
振替　00190-7-192955

印刷・製本　双文社印刷

装　丁　大倉真一郎

ISBN978-4-7917-7495-1 C0040